TRAM ATLAS DEUTSC

DK

Rostock

Schleswig-Holstein

Mecklenburg-Vorpommern

Hamburg

Schwerin

Bremen

Brandenburg

Niedersachsen

Eberswalde

Strausberg Schöneiche-
Rüdersdorf

Berlin

PL

Hannover

Brandenburg/Havel

Woltersdorf

Braunschweig

Magdeburg

Potsdam

Frankfurt
(Oder)

Bielefeld

Halberstadt

Dessau

Cottbus

Nordrhein-Westfalen

Halle (Saale)

Essen/
Mülheim   Dortmund

Nordhausen

Leipzig

Görlitz

Duisburg

Bochum/Gelsenkirchen

Naumburg

Sachsen

Dresden

Krefeld

Wuppertal

Kassel

Chemnitz

Kirnitzschtal

Düsseldorf

Solingen

Thüringen

Jena

Köln

Gotha   Erfurt

Gera

Zwickau

Bonn

Hessen

Plauen

B

Frankfurt am Main

CZ

L

Rheinland-Pfalz

Mainz   Darmstadt

Saarland

Würzburg

Ludwigshafen   Mannheim

Nürnberg

Saarbrücken

Heidelberg

F

Rhein-Neckar

Heilbronn

Bayern

Karlsruhe   Stuttgart

Kehl am Rhein   Esslingen

Baden-Württemberg

Ulm   Augsburg

München

Freiburg im Breisgau

A

Weil am Rhein

CH

U-Bahn oder Stadtbahn mit
unterirdischen Haltestellen
*Metro or Light Rail with
underground stations*

Straßenbahn
Tram

Schwebebahn
Suspension Railway

Obus
Trolleybus

2019

Robert Schwandl

Berlin - Flexity #4002 & #8025 (Landsberger Allee/Petersburger Straß

TRAM ATLAS DEUTSCHLAND

Robert Schwandl Verlag
Hektorstraße 3
D-10711 Berlin

Tel. 030 - 3759 1284 (0049 - 30 - 3759 1284)
Fax 030 - 3759 1285 (0049 - 30 - 3759 1285)

www.robert-schwandl.de
books@robert-schwandl.de

5., überarbeitete Auflage, Juni 2019

Text & Netzpläne | Text & Network Maps © Robert Schwandl
    English Text by Robert Schwandl & Mark Davies
Fotos ohne Vermerk | Unlabelled photos © Robert Schwandl

Druck: Ruksaldruck, Berlin
ISBN 978-3-936573-60-2

Ein großes Dankeschön an Enrico Franzke, Alexander Gr
Christoph Groneck, Jörg Häseler, Helmut Kotzmann, Ber
hard Kußmagk, Stephan Kyrieleis, Sebastian Paschinsky,
Felix Thoma, Joachim Spöring und Christian Wolf sowie
an alle, die uns im Laufe der letzten Jahre Fehler gemeld
haben. Außerdem vielen Dank an die zahlreichen Verkehr
betriebe, die uns bei diesem Projekt unterstützt haben.
    Wir möchten Sie auch weiterhin einladen, uns etwaige
Fehler mitzuteilen, denn hoffentlich wird es in einigen Jah
wieder eine neue, aktualisierte Ausgabe geben.

➲ **www.gleisplanweb.eu**
– Aktuelle Gleispläne | *Updated track maps*
➲ **www.tram-info.de**
– Aktuelle Fahrzeuglisten | *Updated rolling stock lists*

VORWORT

rmit überreiche ich Ihnen die fünfte Ausgabe des erfolgreichen „Tram Atlas
utschland", der hoffentlich wieder ein wenig besser gelungen ist als der Vor-
ngerband. Ich habe erneut einige der detaillierten Innenstadtpläne erweitert
3. Berlin, Frankfurt am Main) und weitere hinzugefügt (z.B. Köln, Essen) bzw.
hrere Pläne auf Gleisplandarstellung geändert (z.B. Augsburg, Freiburg). Mehr
v. größere Netzpläne, das bedeutet leider weniger Platz für Fotos, trotzdem sind
h fast alle aktuellen Fahrzeuge auf Bildern vertreten. Ansonsten folgt die neue
sgabe dem bewährten Schema mit Fahrzeugtabellen sowie wichtigen Eckdaten
nem Kasten (erstmals mit Angaben zu Tageskarten – ohne Gewähr!), wobei
wie in der Vergangenheit darauf hinweisen möchte, dass die darin angege-
e Streckenlänge von offiziellen Angaben abweichen kann und nur derzeit im
rgastbetrieb befahrene Strecken einschließt; durch Parallelstraßen verlaufende
gleisige Strecken werden dabei nur einfach gerechnet. Daraus ergeben sich
rte, die mit anderen Städten tatsächlich vergleichbar sind, anders als etwa die
zitierte „Linienlänge". Bei der Linienanzahl wird unterschieden zwischen „norma-
Tageslinien" und „Verstärker- und Sonderlinien", da manche Verkehrsbetriebe
zu neigen, besondere Liniennummern für alle abweichenden Kurse zu verwen-
, während andere alles unter einer Liniennummer laufen lassen.
Trotz gründlichster Recherche und trotz der engagierten Unterstützung zahl-
her Straßenbahnfreunde und Verkehrsbetriebe bundesweit hat sich bestimmt
der der eine oder andere Fehler eingeschlichen. Im Hinblick auf die nächste
chste!) Ausgabe bin ich natürlich wieder für jeden Hinweis dankbar!
ch wünsche Ihnen weiterhin gute Fahrt mit diesem Reisebegleiter!

Berlin, im Juni 2019
Robert Schwandl

FOREWORD

now have the fifth edition of our successful "Tram Atlas Germany" in your
ds. I hope that once again it is slightly better than the previous edition!
ve enlarged several city centre maps (e.g. Berlin, Frankfurt am Main)
added some new ones (e.g. Cologne, Essen), while some maps have been
verted into full track maps (e.g. Augsburg, Freiburg). More and larger maps
ans fewer photos, of course, but still, pictures of almost all the current roll-
stock have been included.
The system data for each city has mostly been retained, although it has of
rse been updated. The boxes now also include information about day tickets,
this is provided for information purposes only! I would again like to point
that the specified total route length may differ from official sources, and
y includes routes currently in passenger service; unidirectional single-track
s along parallel streets are only counted once, as if they were a normal
ble-track line. The results of this approach are far more comparable than
oft-quoted "total line length". The total number of lines only includes all-
lines, while peak-hour lines and other special lines are given in brackets, as
e operators tend to use a separate line number for any working that deviates
n the standard route, whereas others even use the same number for different
nches.
Despite our thorough research, as well as the great support of tramway
husiasts and tram operators across the country, there may still be some
takes, so in view of the next (sixth) edition, your feedback will once again be
y much appreciated!
We wish you a nice journey with your new and updated travel companion!

Berlin, June 2019
Robert Schwandl

Essen - M8C #1171 (Frankenstraß[...]

Seit der letzten Ausgabe dieses Straßenbahn-Atlasses sind nun wieder drei Jahre vergangen, in denen sich auch einiges getan hat, wobei die Gesamtzahl der deutschen Straßenbahnbetriebe mit der Fusion der Essener EVAG und Mülheimer MVG zur RUHRBAHN um eins gesunken ist. Die Tabelle rechts gibt einen Überblick über neu eröffnete und in den nächsten Jahren zu erwartende Abschnitte. Insgesamt wurden in den letzten drei Jahren lediglich knapp zwei Kilometer stillgelegt. Die wichtigsten Streckeneröffnungen gab es in Mainz und Ulm, während die Umsetzung anderer Großprojekte nur langsam voran-schreitet. Im Hinblick auf die nächste Ausgabe des „Tram Atlas Deutschland" sind vor allem die Fortschritte bei drei Vorhaben beobachtenswert:
- „**Stadt-Umland-Bahn**" (StUB) von Nürnberg über Erlangen nach Herzogenaurach [*stadtumlandbahn.de*]
- „**CityBahn Wiesbaden**" mit Verbindung nach Mainz [*www.citybahn-verbindet.de*]
- „**Regionaltangente West**" (RTW) in der Region westlich von Frankfurt am Main [*www.rtw-hessen.de*]
Noch wenig konkret geworden sind die Planungen für eine Niederflur-Stadtbahn im Raum Ludwigsburg, eine Regionalstadtbahn im Raum Reutlingen/Tübingen oder eine Straßenbahn (vormals geplant als Regionalstadtbahn) in Kiel. In Regensburg fasste der Stadtrat im Juni 2018 den Beschluss zum Bau einer Straßenbahn.
    Nach der 2014 eröffneten Verlängerung der Basler Tram-Linie 8 über die Grenze ins badische Weil am Rhein fährt nun seit 2017 auch die *Tramway de Strasbourg* er-folgreich über den Rhein ins badische Kehl. Auf Seite 139 werden auch diese in Deutschland liegenden Abschnitte kurz vorgestellt.

Three years have passed since the last edition of this tram atlas. A lot has happened in the meantime, and w[...] the merger of Essen's EVAG and Mülheim's MVG to beco[...] the RUHRBAHN, the total number of German tramway companies has decreased by one. The table on the righ[...] presents a list of completed and expected extensions. In the last three years, a mere 2 km of routes has been abandoned. The most significant additions were new lines in Mainz and Ulm, while other major projects are progressing rather slowly. In view of the next edition o[...] this "Tram Atlas Germany", three projects may be wor[...] watching:
- *the "**Stadt-Umland-Bahn**" (StUB) from Nuremberg vi[...] Erlangen to Herzogenaurach [stadtumlandbahn.de]*
- *the "**CityBahn Wiesbaden**" with a link to Mainz [www.citybahn-verbindet.de]*
- *the "**Regionaltangente West**" (RTW) in the region we[...] of Frankfurt am Main [www.rtw-hessen.de]*
Other projects have not yet reached an advanced stage planning: a low-floor Stadtbahn for the Ludwigsburg re[...] gion north of Stuttgart; a tram-train for the Reutlinge[...] Tübingen area in Baden-Württemberg; and a tram (pre[...] ously planned as a tram-train) for Kiel in the north of [...] country. The city of Regensburg decided in June 2018 t[...] build a tram system too.
    With Basel's tram line 8 having been extended acro[...] the border to Weil am Rhein in December 2014, Stras[...] bourg's line D has traversed the River Rhine since April[...] 2017 to reach the German town of Kehl, enjoying the same degree of success (see page 139).
    In this edition, planned routes have only been add[...] to the network maps if their realisation can be consid[...]

eubaustrecken & Stilllegungen | *New Sections & Line Closures* 2014-2019 (inkl. U-Bahn)

adt	City	Strecke	Route	Datum	Date	Linie	Line	km
iburg	Reutebachgasse – Gundelfinger Straße	15-03-2014	2 (>4)	1.8
emen	Borgfeld – Lilienthal (Falkenberg)	01-08-2014	4	5.5
arbrücken	Heusweiler Markt – Lebach (– Lebach-Jabach)	05-10-2014	S1	9.1
lheim an der Ruhr	Hauptfriedhof – Flughafen	07-12-2014	104	-1.9
ankfurt am Main	Stresemannallee/Gartenstr. – Stresemannallee/Mörfelder Landstr.	14-12-2014	17	1.0
nnover	Schierholzstraße – Misburg	14-12-2014	7	1.5
rlin	U Naturkundemuseum – U+S Hauptbahnhof – Lüneburger Straße	14-12-2014	M5/M8/M10	1.9
il am Rhein (Basel)	Kleinhüningen (CH) – Weil am Rhein Bahnhof/Zentrum (D)	14-12-2014	8	2.6 (D: 1.6)
lheim an der Ruhr	Mülheim West – Friesenstraße	04-10-2015	110	-1.8
pzig	Connewitz, Kreuz – Markkleeberg-West	27-11-2015	9	-4.5
elefeld	Milse – Altenhagen	06-12-2015	2	1.2
iburg	Robert-Koch-Straße – Technische Fakultät	11-12-2015	4	1.5
n	Severinstraße – Schönhauser Straße	13-12-2015	17	2.4
sseldorf	S Wehrhahn – S Bilk (Wehrhahn-Tunnel*)	20-02-2016	U71–U73/U83	3.4*
ttgart	Wallgraben – Dürrlewang	13-05-2016	U12	1.0
nnheim	Bonifatiuskirche – Waldfriedhof / Käfertaler Wald	12-06-2016	4/4A	6.4
ssau	Klughardtstraße – Sportplatz Kreuzbergstraße	03-07-2016	4	-1.1
nchen	Max-Weber-Platz – S Berg am Laim	11-12-2016	25 (>19)	2.7
rnberg	Thon – Am Wegfeld	11-12-2016	4	2.4
inz	Hauptbahnhof – Lerchenberg	11-12-2016	51/53	9.2
hl (Strasbourg)	Aristide Briande (F) – Kehl Bahnhof (D)	29-04-2017	D	2.7 (D: 0.5)
emnitz	Bernsbachplatz – Stadlerplatz	02-05-2017	C13-C15	0.4
rnberg	Friedrich-Ebert-Platz – Nordwestring	22-05-2017	U3	1.4
nnover	Hauptbahnhof – Aegidientorplatz	25-05-2017	10/17	-1.0
ttgart	Hallschlag – Wagrainäcker; Hbf – Budapester Platz – Milchhof**	09-12-2017	U12	1.2
nnover	Hbf/Rosenstraße – Hbf/ZOB	18-09-2017	10/17	0.4
chum	Unterstraße – Langendreer S	07-10-2017	302	2.5
inz	Bismarckplatz – Zollhafen	16-10-2017	59	0.4
chum	Gesundheitscampus	18-11-2017	U35	--
emnitz	Stadlerplatz – Technopark	10-12-2017	3/C13-C15	1.5
tsdam	Viereckremise – Campus Jungfernsee	10-12-2017	96	1.0
sseldorf	Rath S – DOME/Am Hülserhof	07-01-2018	701	2.0
gdeburg	Südring – Raiffeisenstraße	09-08-2018	6	1.0
n	Ollenhauerring – Görlinger-Zentrum	27-08-2018	3	0.6
hl (Straßburg)	Kehl Bahnhof – Kehl Rathaus	23-11-2018	D	1.2
mburg	HafenCity Universität – Elbbrücken	07-12-2018	U4	1.3
idelberg (RNV)	Gadamerplatz – Montpellierbrücke	09-12-2018	22/26	1.0
n	Kuhberg Schulzentrum – Ehinger Tor; Theater – Science Park II	09-12-2018	2	8.8
iburg	Heinrich-von-Stephan-Str. – Europaplatz	16-03-2019	5	1.9
rnberg	*Gustav-Adolf-Straße – Großreuth*	*2020*	*U3*	*0.9*
rlsruhe	*Mühlburger Tor – Gottesauer Platz / Augartenstraße (Tunnel)*	*2020*	*div.*	*3.7*****
rlin	*Brandenburger Tor – Alexanderplatz*	*2020/2021*	*U5*	*2.2*
chum	*Langendreer Markt – Papenholz****	*2020/2021*	*310*	*2.0*
rlsruhe	*Siemensallee – Knielingen-Nord*	*2020/2021*	*2*	*1.5*
iburg	*Technische Fakultät – Messe*	*2021*	*4*	*1.0*
rmstadt	*Hochschulstadion – TU-Lichtwiese/Mensa*	*2021*	*2*	*0.8*
gdeburg	*Raiffeisenstr. – Warschauer Str.; Damaschkepl. – Kannenstieg*	*2021/2022*	*?*	*~4.5*
ttgart	*Fasanenhof/Schelmenwasen – Flughafen/Messe*	*2021/2022*	*U6*	*3.2*
n	*Bonner Wall – Arnoldshöhe*	*2022*	*5*	*2.1*
esden	*Löbtau, Tharanter Str. – Südvorstadt – Wasaplatz*	*2023/2024*	*7/9*	*4.5*
ankfurt am Main	*Hauptbahnhof – Wohnpark*	*2024*	*U5*	*2.7*

setzt oberirdische Strecke | *replacing surface route*
rsetzt Strecke in der Friedhofstraße (Pragfriedhof) | *replacing route through Friedhofstraße (Pragfriedhof)*
rsetzt Überlandstrecke über Am Honnengraben | *replacing interurban route via Am Honnengraben*
rsetzt teilweise oberirdische Strecken | *partly replacing surface routes*

Dresden - NGT6DD #2583 (Abzweig nach Reick)

Auf den Netzplänen dieses Atlasses sind derzeit geplante Strecken nur enthalten, wenn ihre Verwirklichung als sehr wahrscheinlich eingeschätzt werden kann bzw. die Trassen weitgehend feststehen. Manche Projekte, wie etwa im Bremer Südwesten oder in Würzburg, haben ihren Status jedoch seit der ersten Ausgabe im Jahr 2009 nicht verändert. Im Bereich der klassischen Straßenbahnen ist in den kommenden Jahren wenig zu erwarten. Während in Berlin wohl endlich das Dauerprojekt „U5" seinen vorläufigen Abschluss finden wird, geht es bei den angekündigten Erweiterungen im Straßenbahnnetz nur langsam voran. Dasselbe gilt für die Westtangente in München. Neue Erweiterungsvorschläge sind hingegen in den letzten Jahren in Braunschweig und Mannheim aufgetaucht. In Karlsruhe rückt die Eröffnung der innerstädtischen Tunnelstrecken nun in greifbare Nähe, gleichzeitig schrumpfte das riesige Regionalstadtbahnnetz im Juni 2019 (östlicher Abschnitt der S5 und die S9).

ered very likely and if a preferred route alignment has been chosen. Some extensions have repeatedly been included since our first edition in 2009 (notably in Bremen and Würzburg), although no progress has been made on them. In the near future, not too many extensions can be expected for the classic tram systems. While the never-ending extension of Berlin's U-Bahn line U5 will soon finally be finished, the ambitious tram expansion has yet to take place; as of now, no new sections are under construction. The same is true for Munich's western tangential route. Fresh proposals for new routes, however, have emerged in Braunschweig and Mannheim. In Karlsruhe, the tunnels in the city centre are nearing completion while the extensive tram-train system has recently shrunk, with the eastern section of line S5 as well as line S9 being operated by regular local trains since June 2019.

Stuttgart - DT8.10 #3330 (Kursaal)

Gotha - Tatra #303 (Wagenhalle)

Zeichenerklärung* | Legend*

zweigleisige Straßen- oder Stadtbahnstrecke
double-track tram or light rail route

eingleisige Straßen- oder Stadtbahnstrecke
single-track tram or light rail route

U-Bahn oder kreuzungsfreie, signalisierte Stadtbahnstrecke
metro or grade-separated light rail route with signalling

Gleisverschlingung
interlaced tracks

Strecke im Bau
route under construction

Strecke geplant
route planned

Betriebsgleise [1]
track connections not used in regular service [1]

Betriebshof und Abstellanlagen
workshops and depots

andere Bahnstrecken mit Station
other railway lines with station

andere Bahnstrecken mit S-Bahn-Verkehr
other railway lines with S-Bahn service

Fahrtrichtung in Endschleifen
(wenn nicht gegen den Uhrzeigersinn)
direction of travel at terminal loops
(if not anti-clockwise)

1 regelmäßige Linienendstelle
regular line terminus

1 Linienendstelle zu bestimmten Zeiten [2]
line terminus at certain times [2]

9 10 Eine Linie geht an der Endstelle direkt in eine andere über.
One line continues as another line and vice versa.

(10') Grundtakt wochentags außerhalb der Hauptverkehrszeiten
(~ 9-13 Uhr)
basic weekday off-peak headway (e.g. 09:00-13:00)

Grenze der Kernstadt bzw. Tarifzonengrenze
city limits of main city or fare zone border

NEUSS unabhängige, von der Straßen-/Stadtbahn bzw. U-Bahn
bediente Nachbargemeinde
independent neighbouring municipality served by
tram/light rail or U-Bahn

[•] Gleisverbindungen an Kreuzungen wurden der besseren Lesbarkeit wegen oft weggelassen.
Track connections at intersections have often been omitted to improve legibility.
[•] z. B. Linienverlängerung zur Hauptverkehrszeit oder Verkürzung im Abendverkehr; auch Linien, die nicht ganztags verkehren
e.g. line extension during peak hours or shortening during evening service; also lines which do not operate all day long

*Darstellung kann auf einzelnen Plänen abweichen!
Some elements may be depicted differently on some maps!

Benutzerhinweise | User Instructions

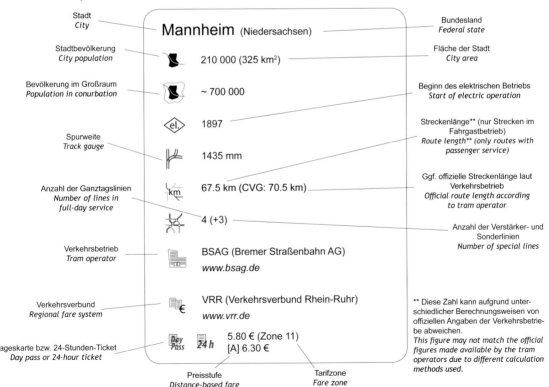

Stadt / *City*	**Mannheim** (Niedersachsen) — Bundesland / *Federal state*
Stadtbevölkerung / *City population*	210 000 (325 km²) — Fläche der Stadt / *City area*
Bevölkerung im Großraum / *Population in conurbation*	~ 700 000 — Beginn des elektrischen Betriebs / *Start of electric operation*
	el. 1897 — Streckenlänge** (nur Strecken im Fahrgastbetrieb) / *Route length** (only routes with passenger service)*
Spurweite / *Track gauge*	1435 mm
Anzahl der Ganztagslinien / *Number of lines in full-day service*	km 67.5 km (CVG: 70.5 km) — Ggf. offizielle Streckenlänge laut Verkehrsbetrieb / *Official route length according to tram operator*
	4 (+3) — Anzahl der Verstärker- und Sonderlinien / *Number of special lines*
Verkehrsbetrieb / *Tram operator*	BSAG (Bremer Straßenbahn AG) www.bsag.de
Verkehrsverbund / *Regional fare system*	VRR (Verkehrsverbund Rhein-Ruhr) www.vrr.de
Tageskarte bzw. 24-Stunden-Ticket / *Day pass or 24-hour ticket*	Day Pass / 24 h — 5.80 € (Zone 11) [A] 6.30 €

Preisstufe / *Distance-based fare* — Tarifzone / *Fare zone*

** Diese Zahl kann aufgrund unterschiedlicher Berechnungsweisen von offiziellen Angaben der Verkehrsbetriebe abweichen.
This figure may not match the official figures made available by the tram operators due to different calculation methods used.

In Bildtexten bedeutet das Zeichen **>** (z. B. Hauptbahnhof > Berliner Platz) die **Blickrichtung** und nicht die Fahrtrichtung des abgebildeten Fahrzeugs! In Fahrzeugtabellen werden Ein- bzw. Zweirichtungswagen durch => bzw. <=> unterschieden!
*In captions, the sign > (e.g. Hauptbahnhof > Berliner Platz) indicates the **viewing direction** and not the travelling direction of the depicted vehicle! In rolling stock lists, single/double-ended trams can be distinguised by =>/<=> !*

CityFlex #887 (Königsplatz > Staatstheater)

Combino #861 (Königsplatz)

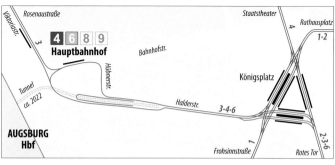

Augsburg (Bayern)

👥	300 000 (147 km²)
	~ 450 000
⟨el.⟩	1898
	1000 mm
km	40.5 km (SWA: 45.2 km)
	5
	AVG (Augsburger Verkehrsges. mbH (SWA Holding GmbH) *www.sw-augsburg.de*
€	AVV (Augsburger Verkehrsverbund) *www.avv-augsburg.de*
Day Pass	6.80 € (Zone 10+20; Mo-Fr 9-24h!)

Fahrzeuge | *Rolling Stock*

Nummer *Number*	Anzahl *Quantity*	Hersteller *Manufacturer*	Typ *Class*	Länge *Length*	Breite *Width*	Ausgeliefert *Delivered*
8005...8009	5	Duewag	M8C <=>	25.9 m	2.30 m	1985
601-611	11	Adtranz/Siemens	GT6M =>	26.8 m	2.30 m	1996
821-836, 841-865	41	Siemens	NF8 *Combino* =>	42.0 m	2.30 m	2000, 2002
871-897	27	Bombardier	CF8 *CityFlex* =>	40.6 m	2.30 m	2009-2010

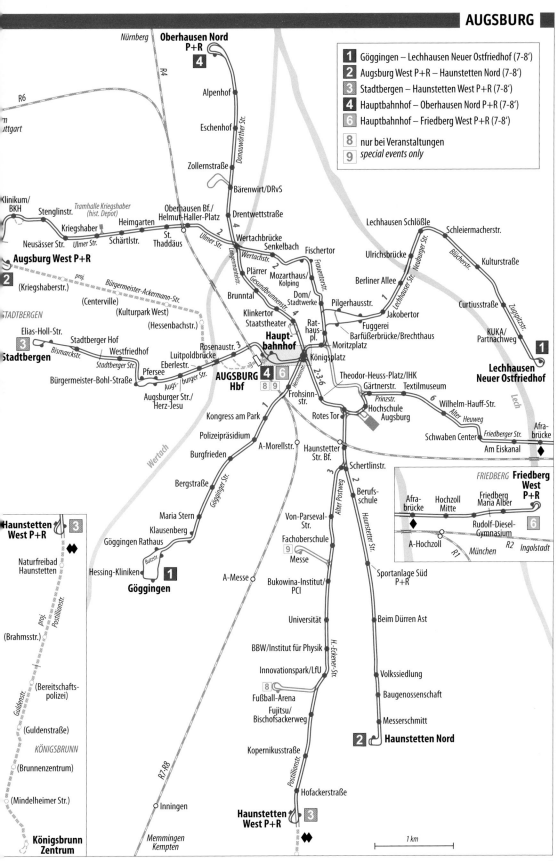

1 Göggingen – Lechhausen Neuer Ostfriedhof (7-8′)
2 Augsburg West P+R – Haunstetten Nord (7-8′)
3 Stadtbergen – Haunstetten West P+R (7-8′)
4 Hauptbahnhof – Oberhausen Nord P+R (7-8′)
6 Hauptbahnhof – Friedberg West P+R (7-8′)

8 nur bei Veranstaltungen
9 *special events only*

1 km

Flexity #9066 (Sulzfelder Straße)

IK17 #1036 (U5 Hellersdorf)

Berlin (Berlin)

3 600 000 (892 km²)

~ 4 500 000 (incl. Potsdam)

🚋 1895   Ⓤ 1902

🚋 & Ⓤ 1435 mm

🚋 175 km (BVG: 190 km); Ⓤ 145.5 km

MetroTram: 9; 🚋 13; Ⓤ 9

BVG (Berliner Verkehrsbetriebe)
www.bvg.de

VBB (Verkehrsverbund Berlin-Brandenburg)
www.vbb.de

7.00 € (Berlin AB = Berlin)

GI/1E 1088 (U2 Eberswalder Straße)

H01 #5029 (U5 Hönov

atra KT4D #6160 (U Tierpark)

GT6N-ZR #2206 (U Frankfurter Tor)

RAM: Fahrzeuge | *Rolling Stock*

mmer *mber*	Anzahl *Quantity*	Hersteller *Manufacturer*	Typ *Class*	Länge *Length*	Breite *Width*	Ausgeliefert *Delivered*
03...6173	~40	ČKD	Tatra KT4D =>	18.1 m	2.20 m	1976-1987
01...1263	28	Adtranz/Bombardier	GTNO (ex GT6N 1001...1063)* =>	26.8 m	2.30 m	1994-1998
02...1605	77	Adtranz/Bombardier	GT6N-U (ex GT6N 1002...1105)** =>	26.8 m	2.30 m	1994-1998
01-2245	45	Adtranz/Bombardier	GT6N-ZR (ex 2001-2045) <=>	26.5 m	2.30 m	1999-2003
01-4034	34	Bombardier	*Flexity Berlin* F6Z <=>	30.8 m	2.40 m	2008, 2012-2013
01-8040	40	Bombardier	*Flexity Berlin* F8E =>	40.0 m	2.40 m	2008, 2011-2016
01-9136	108/136	Bombardier	*Flexity Berlin* F8Z <=>	40.0 m	2.40 m	2008, 2013-2020

dernisiert | *refurbished* 2017/18, ** umgebaut | *upgraded* 2012-16

IK18 #1026 (U2 Pankow)

A3L92 #598 (U1/U3 Hallesches Tor)

BAHN: Fahrzeuge | *Rolling Stock*

mmer *mber*	Anzahl *Quantity*	Hersteller *Manufacturer*	Typ *Class*	Länge *Length*	Breite *Width*	Ausgeliefert *Delivered*
-U4:						
2...537	28 (x2)[1]	Orenstein & Koppel, Waggon-Union	A3E	25.7 m	2.30 m	1964-1966[2]
6...789	~50 (x2)[1]	Orenstein & Koppel	A3L71	25.7 m	2.30 m	1971-1973
8...639	50 (x2)[1]	ABB Henschel	A3L92	25.7 m	2.30 m	1993-1995
70-1094	25 (x4)	LEW Hennigsdorf	GI/1E	51.2 m	2.30 m	1988-1989[3]
01-1024	24 (x4)	Bombardier	HK00/HK06	51.6 m	2.30 m	2001, 2006-2007
25-1026	2 (x4)	Stadler Pankow	IK15	51.6 m	2.40 m	2015
38-1064	27 (x4)	Stadler Pankow	IK18	51.6 m	2.40 m	2018-2019
-U9:						
00...2247[4]	3 (x2)[1]	Orenstein & Koppel	D57/DL68	31.7 m	2.65 m	1956-1968
02...2711	101 (x2)[1]	Orenstein & Koppel, Waggon-Union	F74/F76/F79	32.1 m	2.65 m	1973-1980
24...3013	144 (x2)[1]	Waggon-Union/AEG	F84/F87/F90/F92	32.1 m	2.65 m	1984-1993
01-5046	46 (x6)	ABB Henschel/Adtranz/Bombardier	H95/H97/H01	98.7 m	2.65 m	1995, 1998-2002
27-1037	11 (x4)	Stadler Pankow	IK17[5]	51.6 m	2.40 m [5]	2017
stellt	*ordered*	20 (x4)	Stadler Pankow	*IK20*[5]	51.6 m	2.40 m [5]	2019-
st.	*ordered* [6]	~1500	Stadler Pankow [6]	xxx	xxx	xxx	xxx

ppeltriebwagen | *married pairs*; 2) ertüchtigt | *refurbished* 2001-05; 3) ertüchtigt | *refurbished* 2005-09; 4) 2000/2001, 2020/2021, 2246/2247
t Spaltüberbrückungen für den Einsatz im Großprofilnetz (sog. „Blumenbretter") | *with side boards for service on the large-profile network*
erichtliche Endscheidung nach Einspruch eines Mitbewerbers ausstehend | *with a competitor contesting, a court decision is pending.*

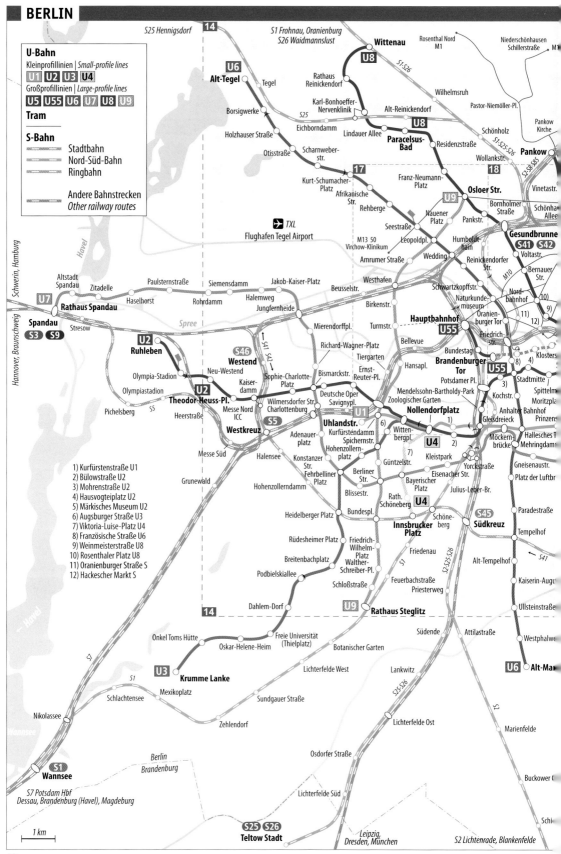

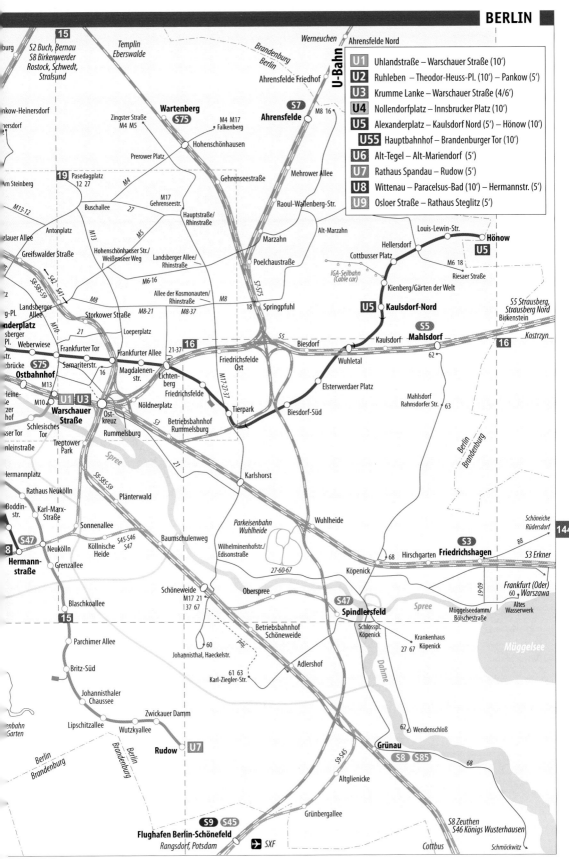

U-Bahn

U1	Uhlandstraße – Warschauer Straße (10')
U2	Ruhleben – Theodor-Heuss-Pl. (10') – Pankow (5')
U3	Krumme Lanke – Warschauer Straße (4/6')
U4	Nollendorfplatz – Innsbrucker Platz (10')
U5	Alexanderplatz – Kaulsdorf Nord (5') – Hönow (10')
U55	Hauptbahnhof – Brandenburger Tor (10')
U6	Alt-Tegel – Alt-Mariendorf (5')
U7	Rathaus Spandau – Rudow (5')
U8	Wittenau – Paracelsus-Bad (10') – Hermannstr. (5')
U9	Osloer Straße – Rathaus Steglitz (5')

BERLIN

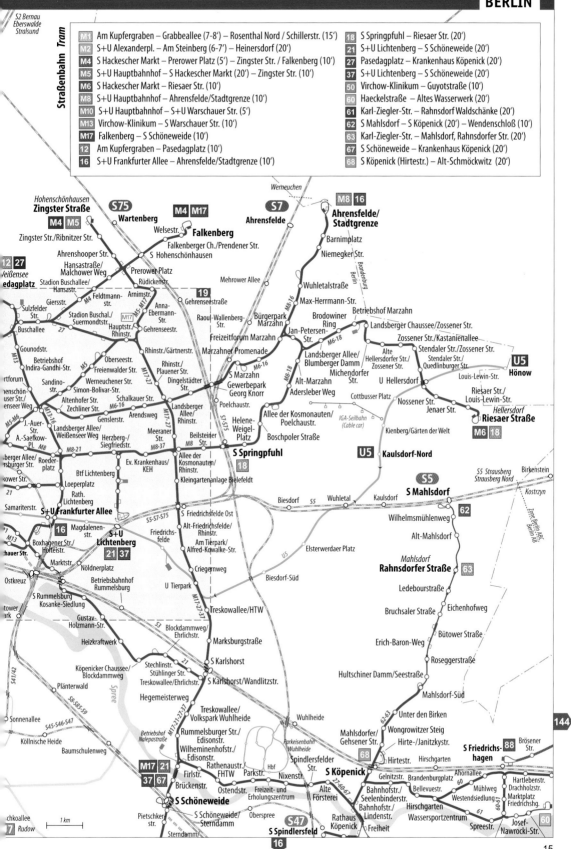

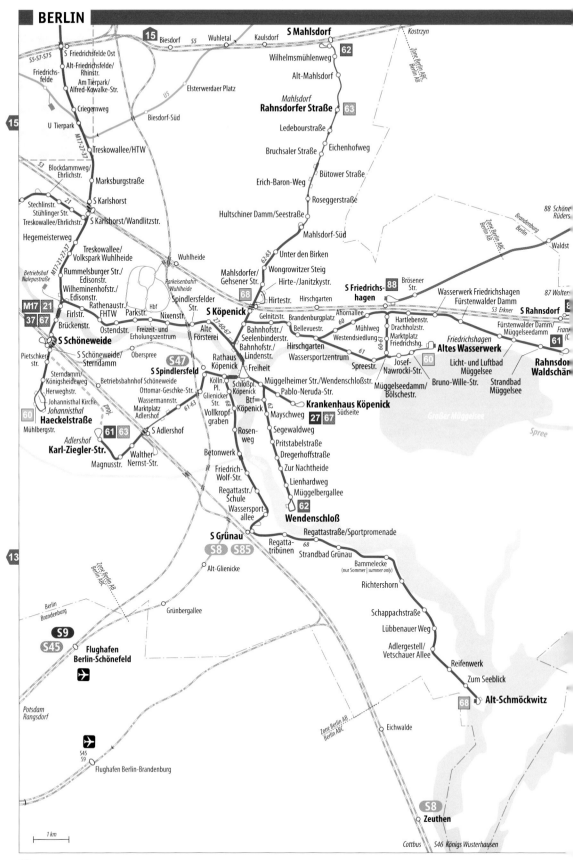

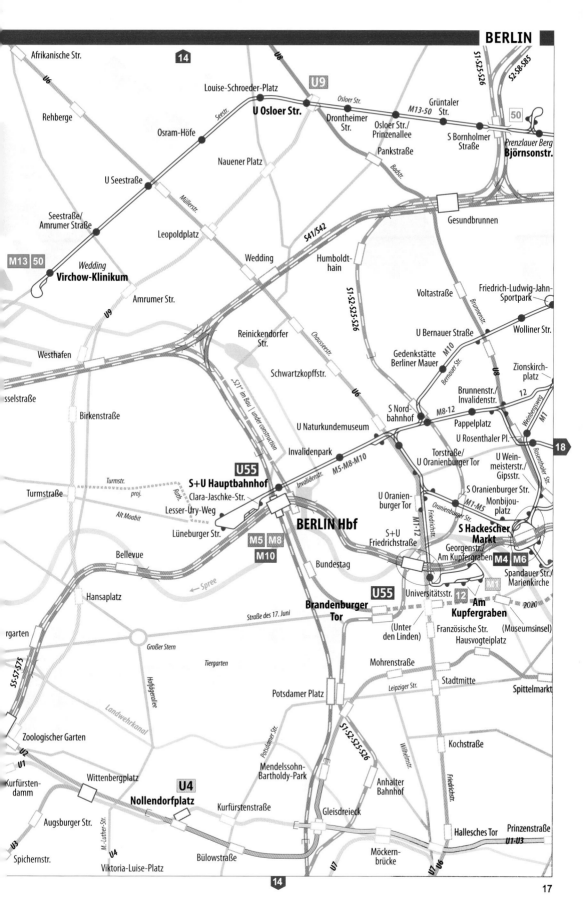

Afrikanische Str.

U6

14

U9

Louise-Schroeder-Platz

Osloer Str.

U Osloer Str.

S1·S25·S26

S2·S8·S85

Rehberge

Dronthemer Str.

Grüntaler Str.

M13·50

50

Osram-Höfe

Osloer Str./ Prinzenallee

S Bornholmer Straße

Prenzlauer Berg

Björnsonstr.

Nauener Platz

Pankstraße

Seestr.

Badstr.

U Seestraße

Müllerstr.

Gesundbrunnen

Seestraße/ Amrumer Straße

Leopoldplatz

S41/S42

M13 50

Wedding

Humboldt- hain

Voltastraße

Friedrich-Ludwig-Jahn- Sportpark

Wedding

Virchow-Klinikum

U9

Amrumer Str.

U Bernauer Straße

Brunnenstr.

Wolliner Str.

Westhafen

Reinickendorfer Str.

Chausseestr.

S1·S25·S26

Gedenkstätte Berliner Mauer

M10

Bernauer Str.

Zionskirch- platz

12

sselstraße

Birkenstraße

Schwartzkopffstr.

U6

S Nord- bahnhof

Brunnenstr./ Invalidenstr.

Weinbergsweg

M1

U Naturkundemuseum

M8·12

Pappelplatz

U Rosenthaler Pl.

18

Turmstr.

proj.

Invalidenpark

S21 im Bau / under construction

M5·M8·M10

Torstraße/ U Oranienburger Tor

U Wein- meisterstr./ Gipsstr.

Rosenthaler Str.

Turmstraße

U55

Roth.

S+U Hauptbahnhof

Clara-Jaschke-Str.

Invalidenstr.

U Oranien- burger Tor

S Oranienburger Str.

Monbijou- platz

Alt Moabit

Lesser-Ury-Weg

M1·M5

Friedrichstr.

Oranienburger Str.

S Hackescher Markt

Lüneburger Str.

M5 M8

BERLIN Hbf

S+U Friedrichstraße

M10

Georgenstr./ Am Kupfergraben

M4 M6

Bellevue

Bundestag

M1

Spandauer Str./ Marienkirche

Hansaplatz

← *Spree*

U55

Universitätsstr.

12

Am Kupfergraben

2020

S5·S7·S75

Brandenburger Tor

Straße des 17. Juni

(Unter den Linden)

Französische Str.

(Museumsinsel)

Großer Stern

Hausvogteiplatz

Tiergarten

Mohrenstraße

Stadtmitte

Spittelmarkt

Landwehrkanal

Hofjägerallee

Leipziger Str.

Potsdamer Platz

Zoologischer Garten

U2

S1·S2·S25·S26

Wilhelmstr.

Kochstraße

U1

Wittenbergplatz

Mendelssohn- Bartholdy-Park

Anhalter Bahnhof

Friedrichstr.

Kurfürsten- damm

U4

Nollendorfplatz

Kurfürstenstraße

Gleisdreieck

U3

Augsburger Str.

M.-Luther-Str.

U4

Bülowstraße

U7

Möckern- brücke

Hallesches Tor

Prinzenstraße

U1·U3

Spichernstr.

Viktoria-Luise-Platz

U7·U6

14

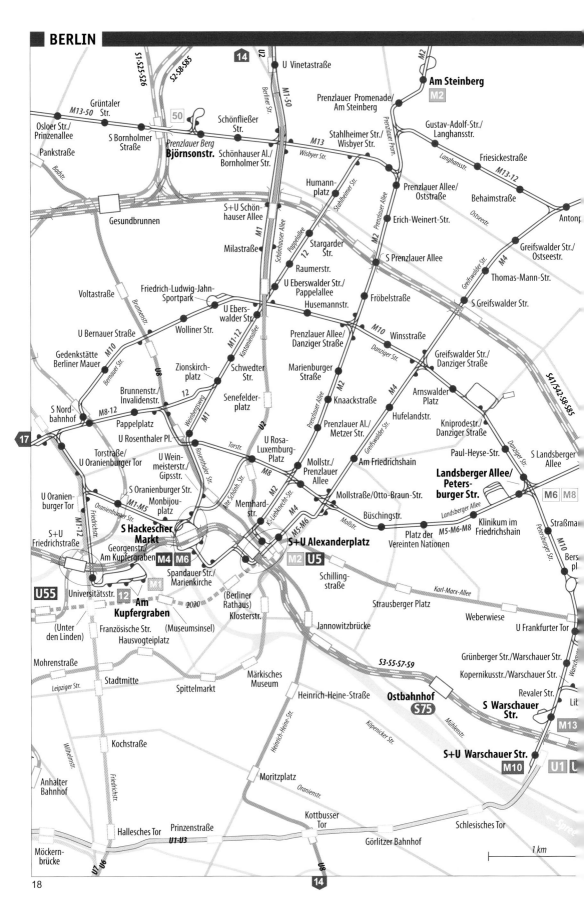

U Vinetastraße

Am Steinberg
M2

Grüntaler Str.
M13·50

Prenzlauer Promenade/
Am Steinberg

Gustav-Adolf-Str./
Langhansstr.

Osloer Str./
Prinzenallee

S Bornholmer Straße

Schönfließer Str.

Stahlheimer Str./
Wisbyer Str.

Pankstraße

Prenzlauer Berg
Björnsonstr.

Schönhauser Al./
Bornholmer Str.

Wisbyer Str.

M13

Langhansstr.

Friesickestraße

M13·12

Gesundbrunnen

S+U Schön-
hauser Allee

Humann-
platz

Prenzlauer Allee/
Oststraße

Behaimstraße

Antonp

Milastraße

Stargarder Str.

Erich-Weinert-Str.

Greifswalder Str./
Ostseestr.

M4

Voltastraße

Friedrich-Ludwig-Jahn-
Sportpark

Raumerstr.

S Prenzlauer Allee

Thomas-Mann-Str.

U Eberswalder Str./
Pappelallee

U Ebers-
walder Str.

Husemannstr.

Fröbelstraße

S Greifswalder Str.

U Bernauer Straße

Wolliner Str.

Prenzlauer Allee/
Danziger Straße

Winsstraße

M10

Greifswalder Str./
Danziger Straße

Gedenkstätte
Berliner Mauer

M10

Zionskirch-
platz

Schwedter Str.

Marienburger Straße

Danziger Str.

M2

S Nord-
bahnhof

Brunnenstr./
Invalidenstr.

Senefelder-
platz

Knaackstraße

M4

Arnswalder Platz

Greifswalder Str./
Danziger Straße

M8·12

Pappelplatz

Hufelandstr.

Kniprodestr./
Danziger Straße

S+U
Friedrichstraße

U Rosenthaler Pl.

Torstr.

U Rosa-
Luxemburg-
Platz

Prenzlauer Al./
Metzer Str.

Paul-Heyse-Str.

S Landsberger Allee

Torstraße/
U Oranienburger Tor

U Wein-
meisterstr./
Gipsstr.

M8

Am Friedrichshain

Landsberger Allee/
Peters-
burger Str.

M6   M8

U Oranien-
burger Tor

S Oranienburger Str.

Mollstr./
Prenzlauer Allee

Monbijou-
platz

M1·M5

Memhard-
str.

Mollstraße/Otto-Braun-Str.

Landsberger Allee

Klinikum im
Friedrichshain

Straßma

S Hackescher Markt

Georgenstr./
Am Kupfergraben

M4   M6

Büschingstr.

M5·M6·M8

Platz der
Vereinten Nationen

Bers
pl

S+U
Friedrichstraße

M1

Spandauer Str./
Marienkirche

S+U Alexanderplatz

M2   U5

U55

Universitätsstr.

12   Am
Kupfergraben

2020

(Berliner Rathaus)

Schilling-
straße

Karl-Marx-Allee

Strausberger Platz

Weberwiese

(Unter den Linden)

Französische Str.

(Museuminsel)

Klosterstr.

Jannowitzbrücke

U Frankfurter Tor

Mohrenstraße

Hausvogteiplatz

Grünberger Str./Warschauer Str.

S3·S5·S7·S9

Stadtmitte

Leipziger Str.

Spittelmarkt

Märkisches
Museum

Kopernikusstr./Warschauer Str.

Ostbahnhof
S75

Revaler Str.

S Warschauer Str.

Lib

Kochstraße

Heinrich-Heine-Straße

M13

Anhalter
Bahnhof

Moritzplatz

S+U Warschauer Str.

M10   U1   U

Hallesches Tor

Prinzenstraße

U1·U3

Kottbusser Tor

Schlesisches Tor

Möckern-
brücke

U7·U6

Görlitzer Bahnhof

U8

1 km

14

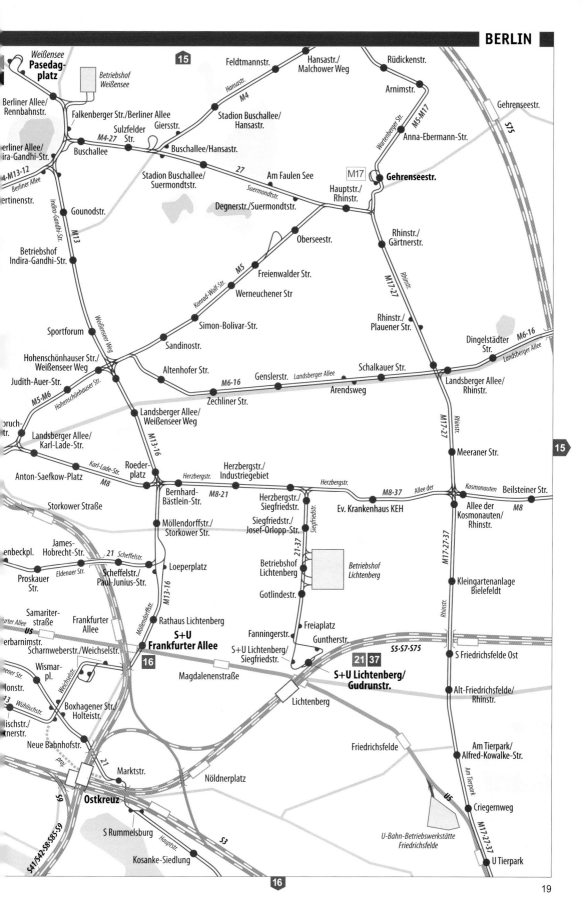

Weißensee
Pasedag-platz

15

Feldtmannstr.

Hansastr./Malchower Weg

Rüdickenstr.

Berliner Allee/Rennbahnstr.

Betriebshof Weißensee

Falkenberger Str./Berliner Allee

Sulzfelder Str.

Giersstr.

Arnimstr.

Hansastr.

M4

Stadion Buschallee/Hansastr.

M5·M17

Gehrenseestr.

S75

Berliner Allee/Indira-Gandhi-Str.

M4·27

Buschallee

Buschallee/Hansastr.

Anna-Ebermann-Str.

Wartenberger Str.

M4·M13·12

Berliner Allee

Stadion Buschallee/Suermondtstr.

27

Am Faulen See

M17

Gehrenseestr.

Martinenstr.

Indira-Gandhi-Str.

Gounodstr.

Suermondtstr.

Degnerstr./Suermondtstr.

Hauptstr./Rhinstr.

M13

Oberseestr.

Rhinstr./Gärtnerstr.

Betriebshof Indira-Gandhi-Str.

Konrad-Wolf-Str.

M5

Freienwalder Str.

Werneuchener Str

Rhinstr.

M17·27

Rhinstr./Plauener Str.

Sportforum

Weißenseer Weg

Simon-Bolivar-Str.

Dingelstädter Str.

M6·16

Sandinostr.

Landsberger Allee

Hohenschönhauser Str./Weißenseer Weg

Altenhofer Str.

Genslerstr.

Schalkauer Str.

Landsberger Allee/Rhinstr.

Judith-Auer-Str.

M6·16

Arendsweg

Rhinstr.

bruch-str.

M5·M6

Hohenschönhauser Str.

Zechliner Str.

Landsberger Allee/Weißenseer Weg

Meeraner Str.

M17·27

Landsberger Allee/Karl-Lade-Str.

M13·16

Anton-Saefkow-Platz

Karl-Lade-Str.

M8

Roeder-platz

Herzbergstr.

Herzbergstr./Industriegebiet

Herzbergstr.

M8·37

Allee der Kosmonauten

Beilsteiner Str.

Storkower Straße

Bernhard-Bästlein-Str.

M8·21

Herzbergstr./Siegfriedstr.

Ev. Krankenhaus KEH

Allee der Kosmonauten/Rhinstr.

M8

James-Hobrecht-Str.

enbeckpl.

21 Scheffelstr.

Möllendorffstr./Storkower Str.

Siegfriedstr./Josef-Orlopp-Str.

Siegfriedstr.

21·37

Kleingartenanlage Bielefeldt

Proskauer Str.

Eldenaer Str.

Scheffelstr./Paul-Junius-Str.

Loeperplatz

Betriebshof Lichtenberg

Betriebshof Lichtenberg

M13·16

Gotlindestr.

Rhinstr.

Samariter-straße

Frankfurter Allee

Rathaus Lichtenberg

Fanningerstr.

Freiaplatz

Guntherstr.

S Friedrichsfelde Ost

urter Allee

U5

erbarnimstr.

Scharnweberstr./Weichselstr.

Möllendorffstr.

S+U Frankfurter Allee

16

S+U Lichtenberg/Siegfriedstr.

S5·S7·S75

21 37

S+U Lichtenberg/Gudrunstr.

Alt-Friedrichsfelde/Rhinstr.

Wismar-pl.

Magdalenenstraße

ener Str.

onstr.

Weichselstr.

Lichtenberg

Friedrichsfelde

Am Tierpark/Alfred-Kowalke-Str.

73

Wühlischstr.

Boxhagener Str./Holteistr.

ischstr./tnerstr.

Neue Babnhofstr.

proj.

Marktstr.

Nöldnerplatz

Am Tierpark

U5

Criegernweg

21

Ostkreuz

S9

S41/S42·S8·S85·S9

S Rummelsburg

Hauptstr.

S3

U-Bahn-Betriebswerkstätte Friedrichsfelde

M17·27·37

U Tierpark

Kosanke-Siedlung

15

16

19

Vamos #5015 (Buschbachtal)

M8D #560 (Brackwede Kirche)

Bielefeld (Nordrhein-Westfalen)

 333 000 (258 km²)

el. 1900

1000 mm

km 33.2 km

4

moBiel GmbH
www.mobiel.de

 OWL Verkehr
www.teutoowl.de
WestfalenTarif
www.westfalentarif.de

 6.00 € (Zone BI = Bielefeld)

Fahrzeuge | Rolling Stock

Nummer / Number	Anzahl / Quantity	Hersteller / Manufacturer	Typ / Class	Länge / Length	Breite / Width	Ausgeliefert / Delivered
516...559	24	Duewag/ABB	M8C <=>	26.6 m	2.30 m	1982-1987
560-595	36	Siemens/Adtranz	M8D <=>	26.9 m	2.30 m	1994, 1998
511-515	5	Siemens/Adtranz	MB4 (Mittelwagen | centre trailer)	14.2 m	2.30 m	1999
5001-5040	16/40	HeiterBlick/Vossloh-Kiepe	GTZ8-B Vamos <=>	34.3 m	2.65 m	2011-2012, (202

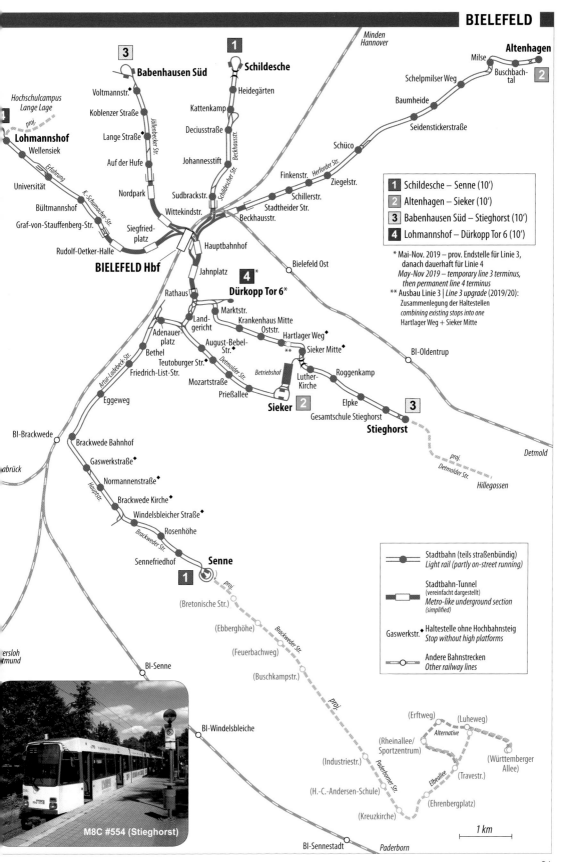

Minden
Hannover

3 **Babenhausen Süd**

1 **Schildesche**

Altenhagen
Milse
Buschbach-tal
2

Schelpmilser Weg
Baumheide
Seidenstickerstraße

Hochschulcampus
Lange Lage

Voltmannstr.
Koblenzer Straße
Lange Straße
Auf der Hufe
Nordpark
Sudbrackstr.
Wittekindstr.
Siegfried-platz

Heidegärten
Kattenkamp
Deciusstraße
Johannesstift

Schüco

Finkenstr.
Ziegelstr.
Herforder Str.
Schillerstr.
Stadtheider Str.
Beckhausstr.

1

Lohmannshof
Wellensiek
Universität
Bültmannshof
Graf-von-Stauffenberg-Str.

proj.

Erfahrung
K.-Schumacher-Str.
Jöllenbecker Str.
Schildescher Str.
Beckhausstr.

Rudolf-Oetker-Halle

BIELEFELD Hbf

Hauptbahnhof

Jahnplatz

Bielefeld Ost

4 *

Dürkopp Tor 6*

Rathaus
Landgericht
Adenauer-platz
Bethel
Teutoburger Str.
Friedrich-List-Str.
Eggeweg

Marktstr.
Krankenhaus Mitte
Oststr.
August-Bebel-Str.
Mozartstraße
Prießallee

Hartlager Weg
Sieker Mitte
**

BI-Oldentrup

Roggenkamp
Luther-Kirche
Elpke
Gesamtschule Stieghorst

Betriebshof

Sieker **2**

Stieghorst **3**

Detmold

proj.
Detmolder Str.
Hillegossen

BI-Brackwede
Brackwede Bahnhof
Gaswerkstraße
Normannenstraße
Brackwede Kirche
Windelsbleicher Straße
Rosenhöhe
Sennefriedhof

abrück

Hauptstr.
Brackweder Str.

Senne

1

ersloh
mund

BI-Senne

proj.

(Bretonische Str.)
(Ebberghöhe)
(Feuerbachweg)
(Buschkampstr.)

Brackweder Str.

BI-Windelsbleiche

proj.

(Industriestr.)
(H.-C.-Andersen-Schule)
(Rheinallee/Sportzentrum)
(Kreuzkirche)

Paderborner Str.

(Erftweg)
(Luheweg)
Alternative
(Travestr.)
(Ehrenbergplatz)
(Württemberger Allee)

Elbeallee

BI-Sennestadt
Paderborn

M8C #554 (Stieghorst)

	Schildesche – Senne (10′)
1	
2	Altenhagen – Sieker (10′)
3	Babenhausen Süd – Stieghorst (10′)
4	Lohmannshof – Dürkopp Tor 6 (10′)

* Mai–Nov. 2019 – prov. Endstelle für Linie 3,
danach dauerhaft für Linie 4
*May–Nov 2019 – temporary line 3 terminus,
then permanent line 4 terminus*

** Ausbau Linie 3 | *Line 3 upgrade* (2019/20):
Zusammenlegung der Haltestellen
combining existing stops into one
Hartlager Weg + Sieker Mitte

Stadtbahn (teils straßenbündig)
Light rail (partly on-street running)

Stadtbahn-Tunnel
(vereinfacht dargestellt)
*Metro-like underground section
(simplified)*

Gaswerkstr. ◆ Haltestelle ohne Hochbahnsteig
Stop without high platforms

Andere Bahnstrecken
Other railway lines

1 km

Variobahn #110 (Buer Rathaus)

Fahrzeuge | Rolling Stock

Nummer Number	Anzahl Quantity	Hersteller Manufacturer	Typ Class	Länge Length	Breite Width	Ausgeliefert Delivered
310...332	13	Duewag	M6S/M6C <=>	20.4 m	2.30 m	1976-1977
401...440	16	Duewag	NF6D/MGT6D <=>	29.8 m	2.30 m	1993-1994
501-545	45	Stadler	Variobahn <=>	29.6 m	2.30 m	2008-2015
101-142	32/42	Stadler	Variobahn <=>	29.6 m	2.30 m	2016-
- Stadtbahn (U35):						
6001-6025	25	Duewag	B80D	26.9 m	2.65 m	1988, 1993
6026-6031	6	Stadler	Tango	28.2 m	2.65 m	2007-2008
bestellt	ordered 04/2019	6	Stadler	Tango	28.2 m	2.65 m	(2021)

B80D #6014 (Ruhr-Universität)

Variobahn #541 (Langendreer Markt > Langendreer S)

MGT6D #423 (2019 > Łódź) **(Hattingen Mitte)**

Bochum / Gelsenkirchen
(Nordrhein-Westfalen)

Bochum: 366 000 (145 km²)
Gelsenkirchen:
260 000 (105 km²)
Herne: 157 000 (51 km²)
Witten: 97 000 (72 km²)
Hattingen: 55 000 (71 km²)

⟨el.⟩ 1894

1000 mm
(U11 & U35: 1435 mm)

km 97 km
(ohne | without 107 &
U11 in Gelsenkirchen)

7 (+2 ⇨ Essen)

BOGESTRA (Bochum-
Gelsenkirchener
Straßenbahnen AG)
www.bogestra.de

VRR (Verkehrsverbund
Rhein-Ruhr)
www.vrr.de

24h [A] 7.10 €
([A] = 1 Stadt | 1 City)

[B] 14.50 €
([B] = [A] + Nachbarstädte
[A] + neighbouring cities)

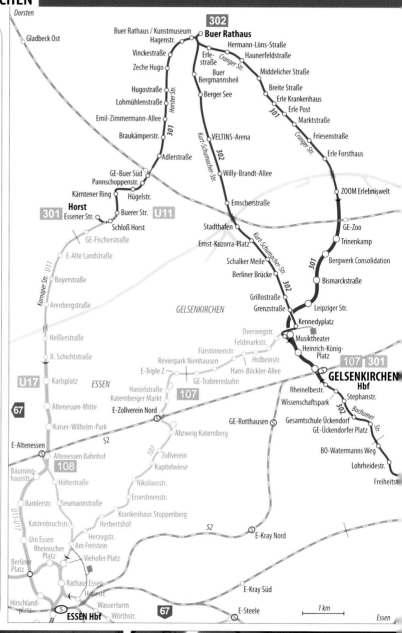

M6C #317 (Bochumer Verein/Jahrhunderthalle)

Tango #6031 (Bochum Hbf)

U35 Schloß Strünkede

306 Wanne-Eickel Hbf

Münster Recklinghausen

Dortmund

CASTROP-RAUXEL

Herne-Börnig

Castrop-Rauxel Süd

Rhein-Herne-Kanal

Herne Bahnhof

Am Busch-mannshof

Herne

Herne Mitte

HERNE

Archäologie-Museum/Kreuzkirche

Solbad

Im Sportpark

Hölkeskampring

HER-Berninghausstraße

308
318
Gerthe
Schürbankstraße

Castrop-Rauxel Merklinde

Heisterkamp

Hugenoth

BO-Nokia

Gerthe Mitte

Holthauser Straße

DO-Bövinghausen

Eickel Kirche

Auf der Wenge

BO-Rensingstraße

Punges Feld

Heinrichstraße

Hannibalstraße

BO-Hannibal Einkaufscentrum

HER-Eickeler Straße

Riemke Markt

Kolpingplatz

Handwerksweg

Dortmund

Hordeler Straße

BOCHUM

Nordbad

DO-Lütgendortmund

Breslauer Straße

Zeche Constantin

Weserstraße

Dortmund Unna

Bodelschwinghplatz

BO-Hamme

Feldsieper Straße

Rottmannstr.

Stahlwerke Bochum

Dortmund

Hamme Kirche

Robertstr.

Deutsches Bergbau-Museum

Amtsstr.

Präsident Bf

Brückstr.

Ruhrstadion

Elbinger Str. *302*

Goldhammer Str.

Bochumer Verein/ Jahrhunderthalle

BO-Rathaus (Nord)

Planetarium

BO-Langendorf

302

Centrumplatz

Westpark

BO West (Süd)

306 **318**

BO-Langendreer West

Langendreer Markt (Rudolf-Steiner-Schule)

Querstr.

Vietingstr.

Wattenscheider Str.

BOCHUM Hbf

Lohring

Lessing-Schule

Leibnizstr.

Engelsburger Str. *310*

Erzstr.

Bermuda3eck/ Musikforum

Freigrafen-damm

Mettestr.

Igelstr.

scheid Post

Essener Str.

Jacob-Mayer-Str./ Jahrhunderthalle

Schauspielhaus

Oskar-Hoffmann-Straße

Dannenbaumstr.

Unter-str.

Am Neggenborn

310

Röntgenstr.

BO-Ehrenfeld

Bergmannsheil

Waldring

Altenbochum Kirche

Mark 51°7

Alte Ümminger Str.

(Auf dem Jäger)

Bruckerstr.

Friederikastraße

Wasserstraße

Laer Mitte **302**

Kaltehardt

Höntrop Kirche

Kohlenstraße

Im Ümminger Feld

Urbanusstr.

Knoopstraße

Brenscheder Straße

Querenburg Hustadt (TQ)

BO-Am Honnengraben

WIT-Papenholz

WITTEN

Crengeldanz

Weitmar Mitte

Markstraße

Lennershof BO

U35

Schlosspark/Museum unter Tage

Ruhr-Universität

Betriebshof Witten

Marien-hospital

BOCHUM

Gesundheitscampus

Friedrich-List-Str.

Breite Str.

Blankensteiner Straße

Heven Hellweg

Hardel

Witten Rathaus

Am Buchenhain

Am Steinberg

Sprockhöveler Str.

Berliner Str.

Nevelstraße

310

Hans-Böckler-Str.

Am Röderschacht

Heven Dorf

Bahnhofstr.

Witten Hbf

Hagen

18
-Dahlhausen

Am Feldbrand

Auf dem Holte

Südbad

Zentrum Augusta Linden

Linden Mitte

Kesterkamp

Lewackerstr.

Surenfeldstr.

BO-Surenfeld

HAT-Oberwinzerfeld

← *Ruhr*

* Dieser Abschnitt wird nach Inbetriebnahme der Neubaustrecke Langendreer – Papenholz stillgelegt.
Section to be abandoned after opening of new route from Langendreer to Papenholz.

Denkmalstr.

Hattingen Ruhrbrücke

Bahnhofstr.

308

Hattingen (Ruhr)

Hattingen Mitte

HATTINGEN

U35	Schloß Strünkede – Riemke Markt (10') – Hustadt (5')	
301	Gelsenkirchen Hbf – Horst, Essener Str. (10')	
302	Buer Rathaus – Laer Mitte (10') – Langendreer S (20')	
306	Wanne-Eickel Hbf – Bochum Hbf (10')	
308	Hattingen Mitte – Gerthe, Schürbankstr. (10')	
310	Höntrop Kirche – Heven Dorf (20')	
318	Dahlhausen S – Bochum Hbf (20') (– Gerthe)	
U17 **U11**	⇒ Essen	
107 **108**		

Stadtbahn | *Light Rail* (1435 mm)
U-Bahn-Standard
full metro standard
Stadtbahn (nicht kreuzungsfrei)
light rail route (not grade-separated)

Straßenbahn | *Tram* (1000 mm)
unterirdisch (U-Strab mit Niedrigbahnsteigen)
tram tunnel (premetro with low platforms)
auf besonderem Bahnkörper oder straßenbündig
on separate right-of-way or on-street tracks
im Bau | *under construction*
Eisenbahnstrecken | *Railways (incl. S-Bahn)*

1 km

25

Duewag R1.1 #9462 (Beuel Rathaus)

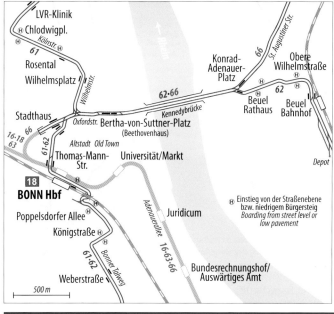

Bonn (Nordrhein-Westfalen)

326 000 (141 km²) ⇨ Köln

el. 1902

1435 mm

52.5 km
(ohne Überlandstrecken nach Köln
without interurban routes to Cologne

6 (+3)

SWB (Stadtwerke Bonn GmbH)/SSB
www.swb-busundbahn.de

VRS (Verkehrsverbund Rhein-Sieg)
www.vrsinfo.de

Day Pass 8.80 € ([1b] = Bonn)
11.10 € – 19.10 € ([2b] – [4])

H Einstieg von der Straßenebene
bzw. niedrigem Bürgersteig
*Boarding from street level or
low pavement*

Fahrzeuge | *Rolling Stock*

Nummer *Number*	Anzahl *Quantity*	Hersteller *Manufacturer*	Typ *Class*	Länge *Length*	Breite *Width*	Ausgeliefert *Delivered*
9451-9474 - Stadtbahn:	24	Duewag	R1.1 (MGT6D) <=>	28.6 m	2.40 m	1994
7456...7760, 8371...8471, 9351...9376	61	Duewag	B100S & B100C	28.0 m	2.65 m	1974-77, 1984, 1993
0360-0374	15	Bombardier	K5000 *Flexity Swift*	29.3 m	2.65 m	2003

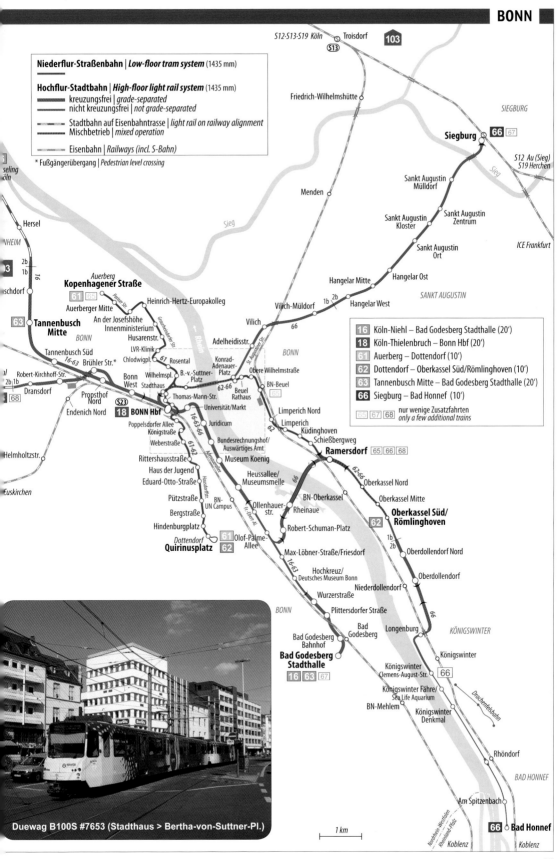

Duewag B100S #7653 (Stadthaus > Bertha-von-Suttner-Pl.)

MGT6D (Jahrtausendbrücke)

KTNF6 #177 (Hauptstraße)

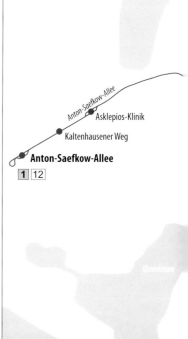

Anton-Saefkow-Allee

Fahrzeuge | Rolling Stock

Nummer Number	Anzahl Quantity	Hersteller Manufacturer	Typ Class	Länge Length	Breite Width	Ausgeliefert Delivered
174, 179	2	ČKD Tatra	KT4DMC =>	18.1 m	2.20 m	1981-1983
170...185	10	ČKD Tatra	KTNF6* =>	27.7 m	2.20 m	1979-1983
100-105**	6	Siemens/DUEWAG	MGT6D <=>	29.9 m	2.30 m	1992-1995

* Niederflurmittelteil | low-floor centre section **104 & 105 ex H

Brandenburg an der Havel
(Brandenburg)

🚃 72 000 (230 km²)

⬦el.⬦ 1911

1000 mm

km 17 km

3

VBBr (Verkehrsbetriebe Brandenburg an der Havel GmbH)
www.vbbr.de

VBB (Verkehrsverbund Berlin-Brandenburg)
www.vbb.de

3.60 € (Zone Brandenburg AB)

MGT6D #105 ex Halle (Neustädtischer Markt)

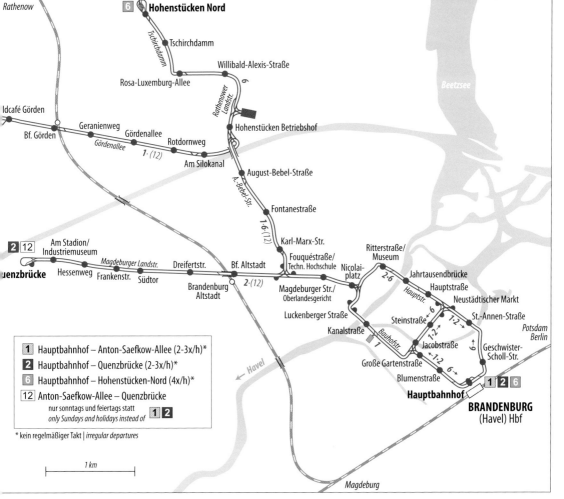

Rathenow

6 Hohenstücken Nord

Tschirchdamm

Willibald-Alexis-Straße

Rosa-Luxemburg-Allee

6

Rathenower Landstr.

Beetzsee

Idcafé Görden

Geranienweg

Bf. Görden

Gördenallee

Gördenallee

Rotdornweg

1·(12)

Am Silokanal

Hohenstücken Betriebshof

August-Bebel-Straße

A.-Bebel-Str.

Fontanestraße

1·6·(12)

Karl-Marx-Str.

Ritterstraße/
Museum

2 12 Am Stadion/
Industriemuseum

Magdeburger Landstr.

Dreifertstr.

Bf. Altstadt

Fouquéstraße/
Techn. Hochschule

Nicolai-
platz

2·6

Jahrtausendbrücke

uenzbrücke Hessenweg Frankenstr. Südtor

Brandenburg
Altstadt

2·(12)

Magdeburger Str./
Oberlandesgericht

Hauptstr.

Hauptstraße

Neustädtischer Markt

Luckenberger Straße

Steinstraße

6

St.-Annen-Straße

Kanalstraße

Bauhofstr.

1·2

Jacobstraße

1·2

*Potsdam
Berlin*

Große Gartenstraße

6

Geschwister-
Scholl-Str.

Blumenstraße

1 2 6

Hauptbahnhof

BRANDENBURG
(Havel) Hbf

← *Havel*

1 Hauptbahnhof – Anton-Saefkow-Allee (2-3x/h)*
2 Hauptbahnhof – Quenzbrücke (2-3x/h)*
6 Hauptbahnhof – Hohenstücken-Nord (4x/h)*
12 Anton-Saefkow-Allee – Quenzbrücke
    nur sonntags und feiertags statt **1** **2**
    only Sundays and holidays instead of

* kein regelmäßiger Takt | *irregular departures*

├─────┤ 1 km

Magdeburg

Tramino #1463 (Leonhardplatz

NFGT „Bremen" #9557 (Friedrich-Wilhelm-Platz > Europaplatz)

Braunschweig (Niedersachsen

249 000 (192 km²)

~ 450 000

el. 1897

1100 mm

km 36 km

5

Braunschweiger Verkehrs-Gm
www.verkehr-bs.de

€ VRB (Verkehrsverbund
Region Braunschweig)
www.vrb-online.de

Day Pass 5.60 € (5.80 € in Tram)
(Zone 40 = Braunschweig)

NGT8D-BS „Magdeburg" #0754 + EB4 (Rathaus)

ahrzeuge | *Rolling Stock*

mmer *mber*	Anzahl *Quantity*	Hersteller *Manufacturer*	Typ *Class*	Länge *Length*	Breite *Width*	Ausgeliefert *Delivered*
51...7761	5	Duewag	EGT6 „Mannheim" =>	19.1 m	2.17 m	1977
51...8165	8	LHB	EGT6 „Braunschweig" =>	20.6 m	2.20 m	1981
·51-9562	12	Adtranz	NFGT6-S1100 „Bremen" =>	26.8 m	2.30 m	1995
·51-0762	12	Alstom	NGT8D-BS „Magdeburg" =>	29.4 m	2.30 m	2007
·51-1468	18 *(+7)*	Solaris	GT8S *Tramino* =>	36.5 m	2.30 m	2014-2016 *(2019-)*
·71...7476, 7771-7776	10	Duewag	EB4 „Mannheim" (Beiwagen | *trailers*)	13.5 m	2.20 m	1974, 1977
·71...8471	8	LHB	EB4 „Braunschweig" (Beiwagen | *trailers*)	13.5 m	2.20 m	1981, 1984

EGT6 „Braunschweig" #8161 + EB4 (Hauptbahnhof)

EGT6 „Mannheim" #7755 + EB4 (Hbf > Willy-Brandt-Platz)

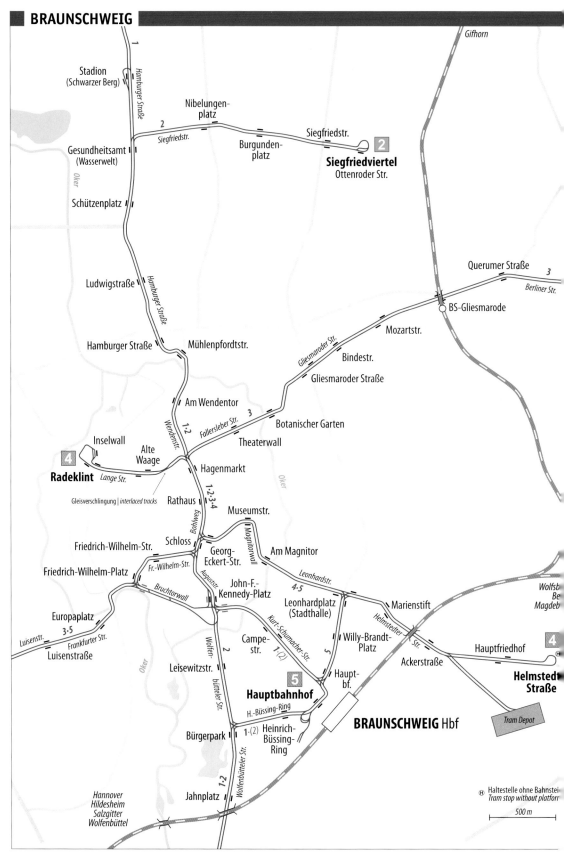

Gifhorn

Stadion
(Schwarzer Berg)

Nibelungen-
platz

Siegfriedstr.

2

Hamburger Straße

2

Siegfriedstr.

Burgunden-
platz

Siegfriedviertel
Ottenroder Str.

Gesundheitsamt
(Wasserwelt)

Oker

Schützenplatz

Querumer Straße

3

Berliner Str.

Ludwigstraße

Hamburger Straße

BS-Gliesmarode

Mozartstr.

Hamburger Straße

Mühlenpfordtstr.

Gliesmaroder Str.

Bindestr.

Gliesmaroder Straße

Am Wendentor

1·2

Wendenstr.

Fallersleber Str.

3

Botanischer Garten

Theaterwall

Inselwall

Oker

4

Alte
Waage

Hagenmarkt

Radeklint Lange Str.

Gleisverschlingung | interlaced tracks

Rathaus

1·2·3·4

Museumstr.

Bohlweg

Friedrich-Wilhelm-Str.

Schloss

Georg-
Eckert-Str.

Magnitorwall

Am Magnitor

Fr.-Wilhelm-Str.

Friedrich-Wilhelm-Platz

Augustr.

John-F.-
Kennedy-Platz

Leonhardtstr.

4·5

Wolfsb
Be
Magdeb

Bruchtorwall

Leonhardplatz
(Stadthalle)

Marienstift

Helmstedter Str.

Europaplatz

3·5

Frankfurter Str.

Luisenstr.

Campe-
str.

Kurt-Schumacher-Str.

1·(2)

5

Willy-Brandt-
Platz

Ackerstraße

4

Hauptfriedhof

Luisenstraße

Wolfen-

2

Leisewitzstr.

bütteler Str.

5

Hauptbahnhof

Haupt-
bf.

BRAUNSCHWEIG Hbf

**Helmsted
Straße**

H.-Büssing-Ring

Tram Depot

Bürgerpark

1·(2)

Heinrich-
Büssing-
Ring

Wolfenbütteler Str.

1·2

Ⓗ Haltestelle ohne Bahnstei
Tram stop without platforr

Hannover
Hildesheim
Salzgitter
Wolfenbüttel

Jahnplatz

500 m

GT8N-1 #3110 & GT8N #3059 (Bahnhof Mahndorf)

GT8N-1 #3104 (Norderländer Straße)

GT8N #3078 (Hauptbahnhof)

Bremen (Bremen)

- 568 000 (325 km²)
- ~ 800 000
- ⟨el.⟩ 1892
- 1435 mm
- 78.5 km
- 8 (+2)
- BSAG (Bremer Straßenbahn AG)
  www.bsag.de
- VBN (Verkehrsverbund Bremen/
  Niedersachsen)
  www.vbn.de
- 8.10 € (Zone 100 = Bremen)
  9.20 € (Zone 100+219 Lilienthal)

Fahrzeuge | Rolling Stock

Nummer Number	Anzahl Quantity	Hersteller Manufacturer	Typ Class	Länge Length	Breite Width	Ausgeliefert Delivered
3001...3078	76	AEG Adtranz/Kiepe	GT8N =>	35.4 m	2.30 m	1993-1996
3101-3143	43	Bombardier	GT8N-1 *Flexity Classic* =>	35.4 m	2.65 m	2005-2012
bestellt | *ordered* 06/2017	77	*Siemens*	*Avenio*	~37 m	2.65 m	*2020-*

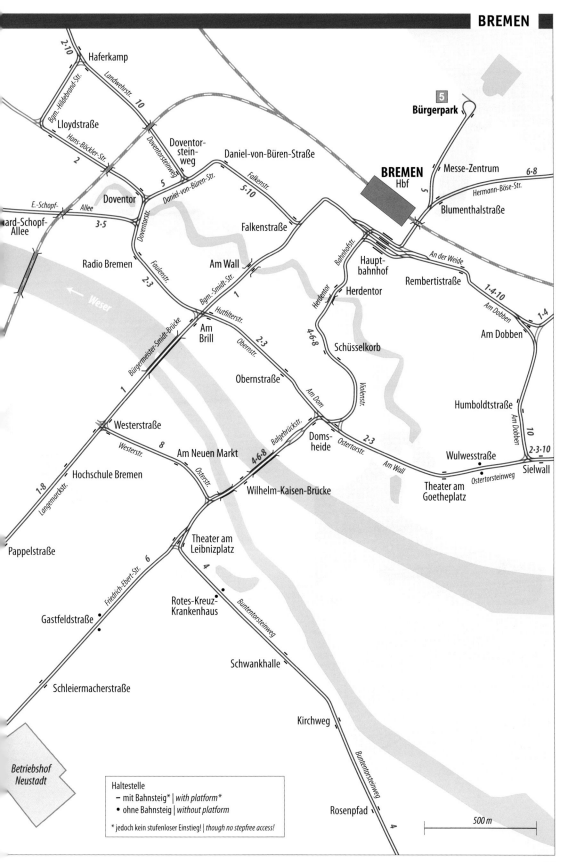

5 Bürgerpark

2·10 Haferkamp

Lloydstraße

Bgm.-Hildebrand-Str.

Landwehrstr. 10

Hans-Böckler-Str.

2

Doventorsteinweg

5

Doventor-stein-weg

Daniel-von-Büren-Straße

E.-Schopf-Allee

Allee

Doventor

rd-Schopf-Allee

3·5

Doventorstr.

Daniel-von-Büren-Str.

Falkenstr.

5·10

Falkenstraße

Radio Bremen

Am Wall

Faulenstr.

2·3

Bgm.-Smidt-Str.

1

Hutfilterstr.

Herdentor

Herdentor

4·6·8

BREMEN Hbf

Bahnhofstr.

Haupt-bahnhof

An der Weide

Messe-Zentrum

6·8

Hermann-Böse-Str.

5

Blumenthalstraße

Rembertistraße

1·4·10

Am Dobben

1·4

Am Dobben

Schüsselkorb

Violenstr.

Humboldtstraße

Am Dobben

10

Weser

Bürgermeister-Smidt-Brücke

Am Brill

Obernstr.

2·3

Obernstraße

Am Dom

Balgebrückstr.

1

Westerstraße

Westerstr.

8

Am Neuen Markt

4·6·8

Doms-heide

Ostertorstr.

2·3

Am Wall

Wulwesstraße

Ostertorsteinweg

Sielwall

2·3·10

Theater am Goetheplatz

1·8

Langemarckstr.

Hochschule Bremen

Osterstr.

Wilhelm-Kaisen-Brücke

Pappelstraße

Theater am Leibnizplatz

Friedrich-Ebert-Str.

6

4

Buntentorsteinweg

Rotes-Kreuz-Krankenhaus

Gastfeldstraße

Schwankhalle

Schleiermacherstraße

Kirchweg

Buntentorsteinweg

Betriebshof Neustadt

Rosenpfad

4

Haltestelle

– mit Bahnsteig* | *with platform**

• ohne Bahnsteig | *without platform*

* jedoch kein stufenloser Einstieg! | *though no stepfree access!*

500 m

RS1 HB-Farge   RS2 Bremerhaven

RS1 RS2

HB-Oslebshausen
Ⓢ

Legend box:

1 Huchting – Bahnhof Mahndorf (10')
2 Gröpelingen – Sebaldsbrück (10')
3 Gröpelingen – Weserwehr (10')
4 Lilienthal – Borgfeld (20') – Arsten (10')
5 Gröpelingen – Bürgerpark (20')*
6 Universität – Flughafen (10')
8 Huchting – Kulenkampffallee (20')
10 Gröpelingen – Sebaldsbrück (10')

1S Expressfahrten im Berufsverkehr
(1S nur vormittags stadteinwärts)
4S *Express trams during rush hour
(1S only inbound in the mornings)*

* **5** nur Mo-Sa; *only Mon-Sat*
Express (5S) zwischen | *between*
Waller Ring & Gröpelingen

━━━ Straßenbahn | *Tram*
━━━ Schnellstraßenbahn-Abschnitt | *Rapid tram section*

┄┄┄ Andere Bahnstrecken | *Other railway routes*

GT8N #3053 (Bürgerpark)

Gröpelingen **2** **3** **5** **10**

Kap-Horn-Str.   Lindenhofstraße
Use Akschen   Moorstr.
Goosestr.   Altenescher Str.
Grasberger Str.   Waller Friedhof
Jadestr.   Waller Str.
Emder Str.   Bf. Walle Ⓢ Walle
Waller Ring   Gustavstr.
Elisabethstr.   Utbremer Str.
Grenzstr.   Wartburg-str.
    Hansestr.
Hansator   Haferkamp
Konsul-Smidt-Str.   **35**
Europahafen   Lloydstr.
    Doventor
Eduard-Schopf-Allee

1) Radio Bremen
2) Doventorsteinweg
3) Daniel-von-Büren-Str.
4) Falkenstr.
5) Messe-Zentrum
6) Rembertistr.
7) Herdentor
8) Schüsselkorb
9) Theater am Goetheplatz
10) Wilhelm-Kaisen-Brücke

BREMEN Hb

Am Brill   Am Wall
HB-Neustadt Ⓢ Westerstr.   Obernstr.
Hochschule Bremen   **8**   Dom
Pappelstr.   Am Neuen Markt   heich
Neuenlander Str.   **6** Gastfeld-str.   Rotes-Kre... Kranke...
Duckwitzstr.   Theater am Leibnizpl.   haus
    Schwankhalle
Solinger Str.   Schleiermacher-str.   Kirchweg
Bardenflethstraße   BSAG-Zentrum   Rosenpfa
Norderländer Straße   Neuenlander Kämpe   Am Damma
    Flughafen
Oldenburger Str.   **6** Flughafen-Süd

Delmenhorst-Heidkrug Ⓢ

RS4 Nordenham
RS3 Oldenburg/Bad Zwischenahn

DELMENHORST

[1] (Mittelshuchting Brüsseler Str.)
(Flämische Str.)
(Am Södenmatt) (Willakedamm)
1 **8**
(Delfter Str.)   **Huchting** Roland-Center
    (Auf den Kahlken)
(Dovemoorstr.)
(Moordeich)
(Hespenstraße)   proj.
(Beethovenstr.)   *STUHR*
(Stuhr)

Ochtum

Bremen Niedersachsen

◆ (Stuhrbaum)
(Brinkum)
(Bassumer Str.)
(Studtriede)   *WEYHE*
(Erichshof)
(Erichshof-Ost)   proj.   (Leeste/ Hagener Str.)
1 km   (Leeste)   [8]

Bremen Niedersachsen

1 km

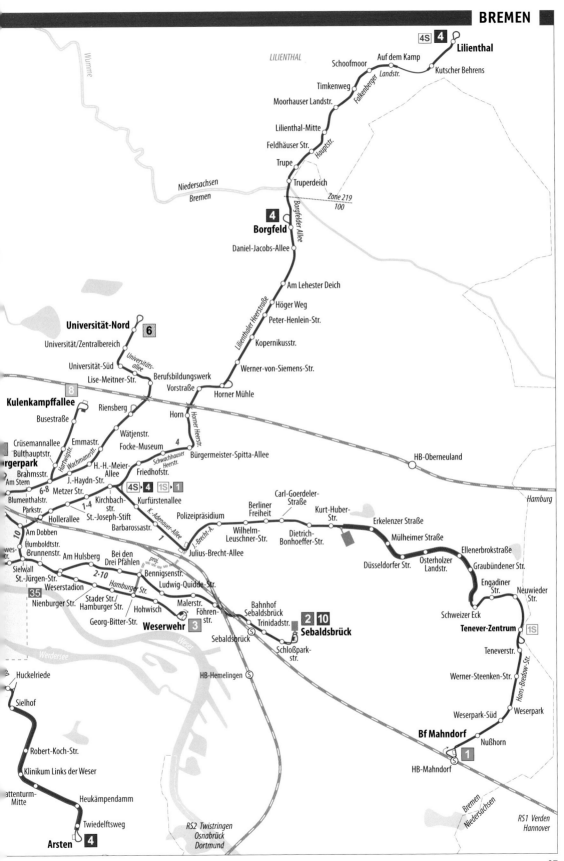

LILIENTHAL

4S 4 Lilienthal

Auf dem Kamp
Schoofmoor
Kutscher Behrens
Falkenberger Landstr.
Timkenweg
Moorhauser Landstr.
Lilienthal-Mitte
Feldhäuser Str.
Hauptstr.
Trupe
Truperdeich

Niedersachsen
Bremen

Zone 219
100

4 Borgfeld

Borgfelder Allee

Daniel-Jacobs-Allee

Am Lehester Deich

Höger Weg
Peter-Henlein-Str.

Lilienthaler Heerstraße

Kopernikusstr.

Werner-von-Siemens-Str.

Universität-Nord **6**

Universität/Zentralbereich

Universität-Süd
Universitäts-allee
Lise-Meitner-Str.
Berufsbildungswerk
Vorstraße

Horner Mühle

8
Kulenkampffallee

Busestraße
Riensberg
Wätjenstr.
Focke-Museum
Horn

Horner Heerstr.

Crüsemannallee
Bülthauptstr.
Emmastr.
Hartwigstr.
Wachmannstr.
H.-H.-Meier-Allee
Schwachhauser Heerstr.
Friedhofstr.
4
Bürgermeister-Spitta-Allee

gerpark
Brahmsstr.
Am Stern
J.-Haydn-Str.
Metzer Str.
6·8
4S 4 1S ▸ 1
Kurfürstenallee

Blumenthalstr.
Parkstr.
1·4
Kirchbach-str.
St.-Joseph-Stift
K.-Adenauer-Allee
Polizeipräsidium
Berliner Freiheit
Carl-Goerdeler-Straße
Kurt-Huber-Str.
Erkelenzer Straße
HB-Oberneuland
Hamburg

Hollerallee
Barbarossastr.
1
J.-Brecht-A.
Wilhelm-Leuschner-Str.
Dietrich-Bonhoeffer-Str.
Mülheimer Straße
Ellenerbrokstraße

Am Dobben
Humboldtstr.
Brunnenstr.
Am Hulsberg
Bei den Drei Pfählen
proj.
Julius-Brecht-Allee
Düsseldorfer Str.
Osterholzer Landstr.
Graubündener Str.

10
wes-tr.
Sielwall
St.-Jürgen-Str.
2·10
Bennigsenstr.
Schweizer Eck
Engadiner Str.
Neuwieder Str.

Weserstadion
Hamburger Str.
Ludwig-Quidde-Str.
Malerstr.
Tenever-Zentrum
1S

35
Nienburger Str.
Stader Str./Hamburger Str.
Hohwisch
Föhren-str.
Bahnhof Sebaldsbrück
Trinidadstr.
2 **10**
Sebaldsbrück
Teneverstr.

Georg-Bitter-Str.
Weserwehr **3**
Sebaldsbrück S
Schloßpark-str.
Hans-Bredow-Str.
Werner-Steenken-Str.

Huckelriede
HB-Hemelingen S
Weserpark-Süd
Weserpark

Sielhof

Bf Mahndorf
Nußhorn
1
HB-Mahndorf S

Robert-Koch-Str.

Klinikum Links der Weser

attenturm-Mitte
Heukämpendamm

Twiedelftsweg

Arsten **4**

RS2 Twistringen
Osnabrück
Dortmund

Bremen
Niedersachsen

RS1 Verden
Hannover

Wumme

Werdersee

Weser

Variobahn #906 (Theaterplatz > Roter Turm)

Variobahn #602 & #413 & CityLink #434 (Hauptbahnhof)

Chemnitz (Sachsen)

- 247 000 (221 km²)
- 1893
- 1435 mm
- 30.5 km (+ 73.5 km Chemnitz Bahn)
- 5 (+ 4 Chemnitz Bahn)
- CVAG (Chemnitzer Verkehrs-AG)
  www.cvag.de

  Chemnitz Bahn
  (City-Bahn Chemnitz GmbH)
  www.chemnitzbahn.de
  www.city-bahn.de
- VMS (Verkehrsverbund Mittelsachsen)
  www.vms.de
- 4.40 € (Zone 13 = Chemnitz)
  14.00 € (VMS-Region)

ityLink #431 (Technopark)   *Foto Felix Thoma*

ariobahn #412 (Theaterplatz)

Fahrzeuge | Rolling Stock

Nummer Number	Anzahl Quantity	Hersteller Manufacturer	Typ Class	Länge Length	Breite Width	Ausgeliefert Delivered
...532	23	ČKD Tatra	T3D-M =>	14.0 m	2.50 m	1988
...614	14	Adtranz	6NGT-LDE *Variobahn* =>	31.4 m	2.65 m	1993, 1999
...910	10	Adtranz	6NGT-LDZ *Variobahn* <=>	31.4 m	2.65 m	1998-2000
...416*	6	Adtranz	6NGT-LDZ *Variobahn* (> C11) <=>	31.4 m	2.65 m	2001
...442**	12	Vossloh	*Citylink* (> C13-15) <=>	37.2 m	2.65 m	2015
...924	14	Škoda	*ForCity Classic Chemnitz* <=>	31.4 m	2.65 m	2018-2019

Eigentum der City Bahn Chemnitz GmbH | property of City Bahn Chemnitz GmbH
**Zweisystemfahrzeuge (mit Diesel Power Pack); Eigentum Verkehrsverbund Mittelsachsen GmbH (VMS)*
dual-mode vehicles (feat. Diesel Power Pack); property of Verkehrsverbund Mittelsachsen GmbH (VMS)

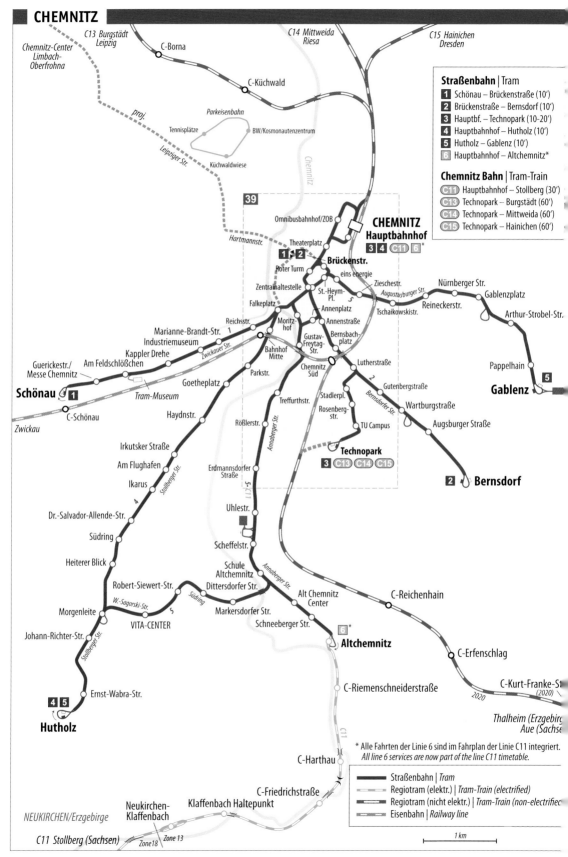

CHEMNITZ

C13 Burgstädt Leipzig

C14 Mittweida Riesa

C15 Hainichen Dresden

Chemnitz-Center Limbach-Oberfrohna

C-Borna

C-Küchwald

proj.

Parkeisenbahn

Tennisplätze

Leipziger Str.

BW/Kosmonautenzentrum

Küchwaldwiese

Chemnitz

39

Hartmannstr.

Omnibusbahnhof/ZOB

CHEMNITZ Hauptbahnhof

3 **4** **C11** **6** *

Theaterplatz

1 · **2**

Roter Turm

Brückenstr.

eins energie

Zentralhaltestelle

St.-Heym-Pl.

Zieschestr.

Augustusburger Str.

Nürnberger Str.

Gablenzplatz

Falkeplatz

Annenplatz

Tschaikowskistr.

Reineckerstr.

Arthur-Strobel-Str.

Marianne-Brandt-Str.

Reichsstr.

Moritz-hof

Annenstraße

Bernsbach-platz

Industriemuseum

Kappler Drehe

Zwickauer Str.

Bahnhof Mitte

Gustav-Freytag-Str.

Lutherstraße

Pappelhain

Guerickestr./ Messe Chemnitz

Am Feldschlößchen

Chemnitz Süd

Gutenbergstraße

Gablenz

Schönau **1**

Goetheplatz

Parkstr.

Bernsdorfer Str.

Wartburgstraße

5

C-Schönau

Tram-Museum

Haydnstr.

Treffurthstr.

Stadlerpl.

Augsburger Straße

Zwickau

Rößlerstr.

Rosenberg-str.

Irkutsker Straße

Annaberger Str.

TU Campus

Am Flughafen

Ikarus

Stollberger Str.

Erdmannsdorfer Straße

Technopark

3 **C13** **C14** **C15**

Dr.-Salvador-Allende-Str.

Südring

Uhlestr.

2 **Bernsdorf**

Heiterer Blick

Scheffelstr.

Schule Altchemnitz

Robert-Siewert-Str.

Dittersdorfer Str.

Alt Chemnitz Center

C-Reichenhain

Morgenleite

W.-Sagorski-Str.

Südring

Markersdorfer Str.

Annaberger Str.

Johann-Richter-Str.

VITA-CENTER

Schneeberger Str.

6 *

Altchemnitz

C-Erfenschlag

Ernst-Wabra-Str.

C-Riemenschneiderstraße

C-Kurt-Franke-S

4 **5**

2020

(2020)

Hutholz

Thalheim (Erzgebir
Aue (Sachse

NEUKIRCHEN/Erzgebirge

C-Harthau

Neukirchen-Klaffenbach

C-Friedrichstraße

Klaffenbach Haltepunkt

* Alle Fahrten der Linie 6 sind im Fahrplan der Linie C11 integriert.
  All line 6 services are now part of the line C11 timetable.

C11 Stollberg (Sachsen)

Zone18 | Zone 13

1 km

Straßenbahn | Tram

1 Schönau – Brückenstraße (10')
2 Brückenstraße – Bernsdorf (10')
3 Hauptbf. – Technopark (10-20')
4 Hauptbahnhof – Hutholz (10')
5 Hutholz – Gablenz (10')
6 Hauptbahnhof – Altchemnitz*

Chemnitz Bahn | Tram-Train

C11 Hauptbahnhof – Stollberg (30')
C13 Technopark – Burgstädt (60')
C14 Technopark – Mittweida (60')
C15 Technopark – Hainichen (60')

Straßenbahn | *Tram*
Regiotram (elektr.) | *Tram-Train (electrified)*
Regiotram (nicht elektr.) | *Tram-Train (non-electrified*
Eisenbahn | *Railway line*

Chemnitz Bahn

- Städtische Straßenbahn Chemnitz | Chemnitz urban tramway
- Regionalstadtbahn elektrisch (750 V dc) auf RIS-Strecke*
  Tram-train electric service (750 V dc) on RIS route*
- Regionalstadtbahn auf DB-Strecke im Dieselbetrieb
  Tram-train diesel service on DB route
- Regionalstadtbahn auf RIS-Strecke* im Dieselbetrieb
  Tram-train diesel service on RIS route*
- Andere Bahnstrecken | other railway routes
- Standseilbahn | funicular

*RIS = Regio Infra Service Sachsen GmbH

5 km

Döbeln

Mittweida C14

Altmittweida

Ottendorf (Mittweida)

Oberlichtenau

Hainichen C15

Dittersbach

Frankenberg (Sachs)

Frankenberg (Sachs) Süd

Leipzig

Burgstädt C13

Zone 13

Zone 13

C-Kinderwaldstätte

Braunsdorf-Lichtenwalde

Wittgensdorf ob Bf

Wittgensdorf Mitte

Niederwiesa

Falkenau (Sachs)

Flöha

Dresden

40

C-Borna

C-Hilbersdorf

Flöha-Plaue

Falkenau Süd

C-Küchwald

Zone 13

Hetzdorf (Flöhatal)

3·4·6

C11

CHEMNITZ Hauptbahnhof

Zentralhaltestelle Chemnitz Mitte

1

C-Schönau

Chemnitz Süd

Gablenz

5

Erdmannsdorf-Augustusburg

Hohenfichte

Olbernhau-Grünthal

Augustusburg

Grüna (Sachs)

C-Siegmar

3

2

Bernsdorf

Technopark

C13 C14 C15

Zckau

stenbrand

Zone 13

C-Reichenhain

Altchemnitz

6

C-Erfenschlag

Hennersdorf (Sachs)

4·5

C-Riemenschneiderstr.

C-Kurt-Franke-Str.
(2020)

Hutholz

C-Harthau

Einsiedel, Gymnasium

Witzschdorf

Klaffenbach Hp

Zone 13

C-Friedrichstraße

Einsiedel

Waldkirchen (Erzgeb)

Adorf

Neukirchen-Klaffenbach

Einsiedel, August-Bebel-Platz
(2020)

Pfaffenhain

Jahnsdorf

Einsiedel, Brauerei
(2020)

Zone 13

Dittersdorf

Zschopau

Zschopau Ost

Kemtau

Niederdorf (Erzgeb)

Meinersdorf (Erzgeb)

Burkhardtsdorf Mitte

Burkhardtsdorf

Dorfchemnitz

Wilischthal

chau

2020

Thalheim Nord

Stollberg Schlachthofstr.

Niederzwönitz

Scharfenstein

11 **Stollberg** (Sachs)

(2020)

Thalheim (Erzgeb)

Zwönitz

Lößnitz, Ob. Bf

Lößnitz, Unt. Bf

2020

Warmbad

Dorfchemnitz

Aue, Erzgebirgsstadion

Aue (Sachs)

Annaberg-Buchholz

KTNF6 #148 (Stadthalle > Schillerstraße)

KTNF6 #150 (Thiemstraße/Hauptbahnhof)

Cottbus/Chóśebuz (Brandenburg)

101 000 (150 km²)

el. 1903

1000 mm

22.8 km

4

Cottbusverkehr GmbH
www.cottbusverkehr.de

VBB
(Verkehrsverbund Berlin-Brandenburg)
www.vbb.de

3.60 € (Zone Cottbus AB)

Fahrzeuge | Rolling Stock

Nummer Number	Anzahl Quantity	Hersteller Manufacturer	Typ Class	Länge Length	Breite Width	Ausgeliefert Delivered
109...170	21	ČKD Tatra	KT NF6* =>	26.8 m	2.18 m	1981-1988

* mit Niederflur-Mittelteil | low-floor section

Frankfurt (Oder)

Betriebshof Schmellwitz

4 Neu Schmellwitz

Zuschka

Schmellwitz, Anger **1**

Neue Straße

Am Nordrand

Sportpalast

Nordfriedhof

Beuchstraße

Nordring

Cottbus-Merzdorf

Bonnaskenplatz

Zimmerstraße

Sandower Brücke

Am Doll

Schillerstraße

Stadthalle

Ströbitzer Weg

Altmarkt

Hermann-Hammerschmidt-Str.

Waisenstr.

August-Bebel-Str.

Stadtpromenade

2 Sandow

Forst

Ewald-Müller-Str.

Sandower Dreieck

3 Ströbitz

Stadtmuseum

Marienstraße/Busbahnhof

Stadion der Freundschaft

COTTBUS Hbf
CHÓŚEBUZ gł. dw.

Messe

Parkcafé

1 Hbf

Görlitzer Str.

Zoo

Friedrich-List-Str.

Thiemstr.

2

Vetschauer Str.

Ottilienstraße

Spree

Jessener Str.

Vetschauer Str./Leipziger Str.

Thiemstr./Klinikum

Sportzentrum

Park & Schloss Branitz

Hufelandstraße

Südfriedhof

Saarbrücker Straße

Badesee Madlow

Thierbacher Straße

Spreestraße

Gelsenkirchener Platz

Priorstraße

3 Madlow

Schwarzheider Straße

Sachsendorf **4**

Görlitz

Ab August 2019 mit Inbetriebnahme der neuen Schleife am Hauptbahnhof vorgesehene Linienführungen:
Lines as planned from August 2019 upon opening of the new loop at the railway station:

1 Schmellwitz, Anger – Hauptbahnhof (20')
2 Sandow – Jessener Str. (15')
3 Ströbitz – Madlow (15')
4 Neu Schmellwitz – Sachsendorf (10')

Straßenbahn | *Tram*
Eisenbahn | *Railways*

1 km

43

ST 13 #9865 (Landskronstraße)

ST 14 #0779 + SB9 (Luisenplatz)

Darmstadt (Hessen)

- 158 000 (122 km²)
- el. 1897
- 1000 mm
- 39.8 km
- ~ 7* (+2*)

HEAG mobilo
www.heagmobilo.de

DADINA Darmstadt-Dieburger Nahverkehrs
€ organisation – *www.dadina.de*

RMV - Rhein-Main-Verkehrsverbund
www.rmv.de

Day Pass 6.35 € (Zone 4000 = Darmstadt + Griesheim
9.65 € (+ Zone 3900 = Alsbach-Hähnlein)

Fahrzeuge | *Rolling Stock*

Nummer *Number*	Anzahl *Quantity*	Hersteller *Manufacturer*	Typ *Class*	Länge *Length*	Breite *Width*	Ausgeliefert *Delivered*
9115-9124	10	Waggon-Union/AEG	ST 12 (GT8) =>	26.5 m	2.40 m	1990
9855-9874	20	LHB/Adtranz	ST 13 (NGT8D) =>	27.5 m	2.40 m	1994
0775-0792	18	Alstom/Bombardier	ST 14 (NGT8D) =>	27.5 m	2.40 m	1998
9425-9454	30	LHB	SB9 (Beiwagen | *trailers*)	14.7 m	2.40 m	1994-1995
ausgeschr.	*tendering*	*14*	?	~43 m	2.40 m	*2021-*

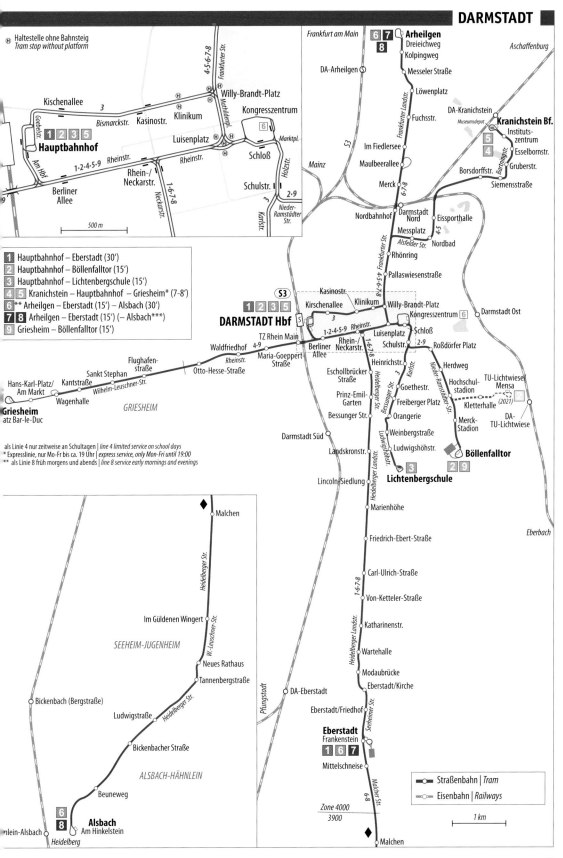

DESSAU

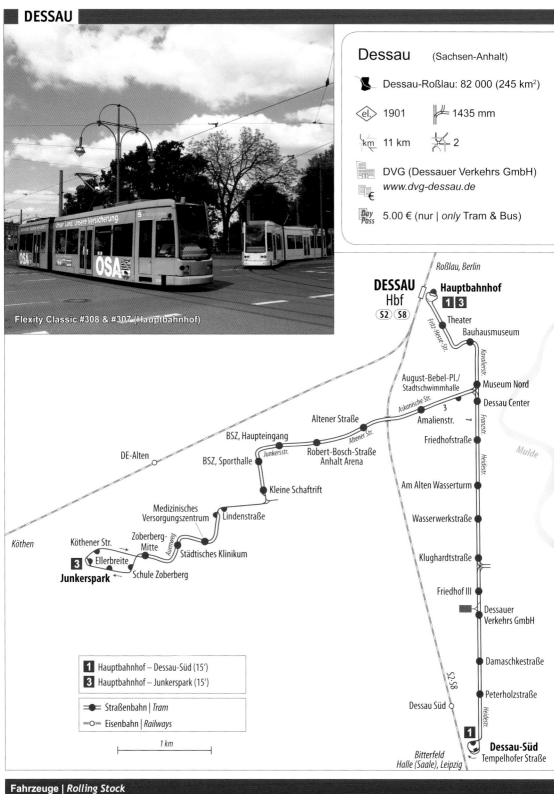

Dessau (Sachsen-Anhalt)

Dessau-Roßlau: 82 000 (245 km²)

el. 1901   1435 mm

km 11 km   2

DVG (Dessauer Verkehrs GmbH)
www.dvg-dessau.de
€

Day Pass 5.00 € (nur | *only* Tram & Bus)

Flexity Classic #308 & #307 (Hauptbahnhof)

Roßlau, Berlin

DESSAU Hbf
S2 S8

Hauptbahnhof 1 3
Theater
Bauhausmuseum

Fritz-Hesse-Str.
Kavalierstr.

August-Bebel-Pl./ Stadtschwimmhalle
Museum Nord

Askanische Str.
Dessau Center

Altener Straße
Amalienstr. 3
1
Franzstr.

BSZ, Haupteingang
Altener Str.
Friedhofstraße

Junkersstr.
DE-Alten
BSZ, Sporthalle
Robert-Bosch-Straße
Anhalt Arena

Mulde

Am Alten Wasserturm

Kleine Schaftrift

Wasserwerkstraße

Heidestr.

Medizinisches Versorgungszentrum
Lindenstraße

Köthen

Köthener Str.
Zoberberg-Mitte
Auenweg
Klughardtstraße

3 Ellerbreite
Städtisches Klinikum

Friedhof III

Junkerspark
Schule Zoberberg

Dessauer Verkehrs GmbH

Damaschkestraße

Peterholzstraße

S2·S8

Dessau Süd

Heidestr.

1

1 Hauptbahnhof – Dessau-Süd (15')

3 Hauptbahnhof – Junkerspark (15')

Straßenbahn | *Tram*

Eisenbahn | *Railways*

1 km

Dessau-Süd
Tempelhofer Straße

Bitterfeld
Halle (Saale), Leipzig

Fahrzeuge | *Rolling Stock*

Nummer *Number*	Anzahl *Quantity*	Hersteller *Manufacturer*	Typ *Class*	Länge *Length*	Breite *Width*	Ausgeliefert *Delivered*
003	1	Duewag	GT8 (ex-Duisburg) =>			1964
301-310	10	Bombardier	NGT6DE *Flexity Classic* =>	21.1 m	2.30 m	2001

Flexity Classic #8 (Berliner Straße)

Dortmund (Nordrhein-Westfalen)

587 000 (280 km²)

1894

1435 mm

72 km

8

DSW21 (Dortmunder Stadtwerke AG)
www.bus-und-bahn.de
www.h-bahn.info

VRR (Verkehrsverbund Rhein-Ruhr)
www.vrr.de

[A] 7.10 € (Dortmund)
[B] 14.50 € (Dortmund + Lünen)

B80C #350 (Lübkestraße)

hrzeuge | *Rolling Stock*

nmer nber	Anzahl *Quantity*	Hersteller *Manufacturer*	Typ *Class*	Länge *Length*	Breite *Width*	Ausgeliefert *Delivered*
1-410	10	Duewag	B100S (ex Bonn)	26.9 m	2.65 m	1974
1-343	43	Duewag	B80C (6x)	28.0 m	2.65 m	1986-1993
1-364	21	Duewag	B80C (8x)	39.0 m	2.65 m	1993-94, 1998
7	47	Bombardier	NGT8 *Flexity Classic* <=>	30.0 m	2.40 m	2007-2012
stellt | *ordered* 05/2017	24 (+2)	HeiterBlick/Kiepe	*Vamos*			*2020-*

DORTMUND

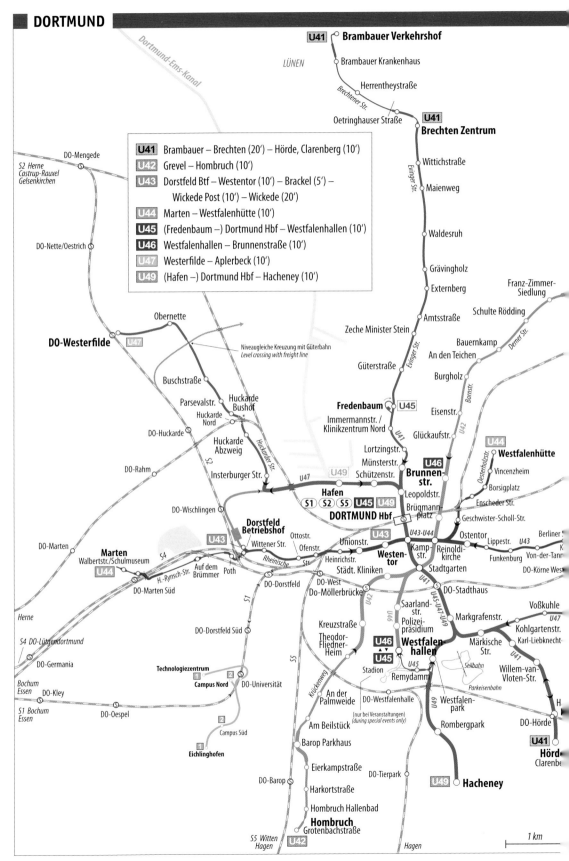

U41 Brambauer Verkehrshof

LÜNEN

Brambauer Krankenhaus

Herrentheystraße

Oetringhauser Straße

U41 Brechten Zentrum

Wittichstraße

Maienweg

Waldesruh

Grävingholz

Externberg

Franz-Zimmer-Siedlung

Amtsstraße

Schulte Rödding

Zeche Minister Stein

Bauernkamp

An den Teichen

Güterstraße

Burgholz

U41 Brambauer – Brechten (20') – Hörde, Clarenberg (10')
U42 Grevel – Hombruch (10')
U43 Dorstfeld Btf – Westentor (10') – Brackel (5') –
  Wickede Post (10') – Wickede (20')
U44 Marten – Westfalenhütte (10')
U45 (Fredenbaum –) Dortmund Hbf – Westfalenhallen (10')
U46 Westfalenhallen – Brunnenstraße (10')
U47 Westerfilde – Aplerbeck (10')
U49 (Hafen –) Dortmund Hbf – Hacheney (10')

Fredenbaum **U45**

Eisenstr.

Glückaufstr.

U44

Westfalenhütte

Vincenzheim

Borsigplatz

Enscheder Str.

DO-Mengede

S2 Herne
Castrup-Rauxel
Gelsenkirchen

DO-Nette/Oestrich

Obernette

DO-Westerfilde **U47**

Niveaugleiche Kreuzung mit Güterbahn
Level crossing with freight line

Buschstraße

Parsevalstr.

Huckarde
Bushof

Huckarde
Nord

DO-Huckarde

Huckarde
Abzweig

DO-Rahm

Insterburger Str.

DO-Wischlingen

DO-Marten

Marten
Walbertstr./Schulmuseum

U44

DO-Marten Süd

Herne

DO-Dorstfeld Süd

S4 DO-Lütgendortmund

DO-Germania

Bochum
Essen

DO-Kley

S1 Bochum
Essen

DO-Oespel

Technologiezentrum

Campus Nord

DO-Universität

Campus Süd

Eichlinghofen

Immermannstr. /
Klinikzentrum Nord

Lortzingstr.

Münsterstr.

Schützenstr.

U46

**Brunnen-
str.**

Leopoldstr.

Hafen
S1 S2 S5 U45 U49

DORTMUND Hbf

Brügmann-
platz

Geschwister-Scholl-Str.

Ostentor

Lippestr.

Berliner S

U43

Funkenburg

Von-der-Tann

DO-Körne Wes

DO-Marten

Dorstfeld
Betriebshof

Wittener Str.

Ottostr.

Ofenstr.

Unionstr.

**Westen-
tor**

Kamp-
str.

U43

Reinoldi-
kirche

U43-U44

Heinrichstr.

Städt. Kliniken

DO-West

Do-Möllerbrücke

Stadtgarten

DO-Stadthaus

U43

Rheinische Str.

Auf dem
Brümmer

H.-Rynsch-Str.

Poth

DO-Dorstfeld

Saarland-
str.

U46

Polizei-
präsidium

U46

**Westfalen-
hallen**

U45

Voßkuhle

Markgrafenstr.

U47

Kohlgartenstr.

Karl-Liebknecht-

Märkische
Str.

Willem-van-
Vloten-Str.

H

Kreuzstraße

Theodor-
Fliedner-
Heim

Stadion

Remydamm

U45

Seilbahn

An der
Palmweide

DO-Westfalenhalle

(nur bei Veranstaltungen)
(during special events only)

Westfalen-
park

Parkeisenbahn

DO-Hörde

Am Beilstück

Barop Parkhaus

Rombergpark

U41
Hörd
Clarenberg

Eierkampstraße

DO-Tierpark

U49 Hacheney

Harkortstraße

Hombruch Hallenbad

Hombruch
Grotenbachstraße

S5 Witten
Hagen

U42

Hagen

1 km

Dortmund-Ems-Kanal

Brechtener Str.

Evinger Str.

Evinger Str.

Bornstr.

Derner Str.

Oesterholzstr.

Huckarder Str.

S2

Wittener Str.

S4

S1

S5

Krückenweg

U47

U49

U41

U42

U45-U47-U49

U41

U49

U46

DO-Barop

48

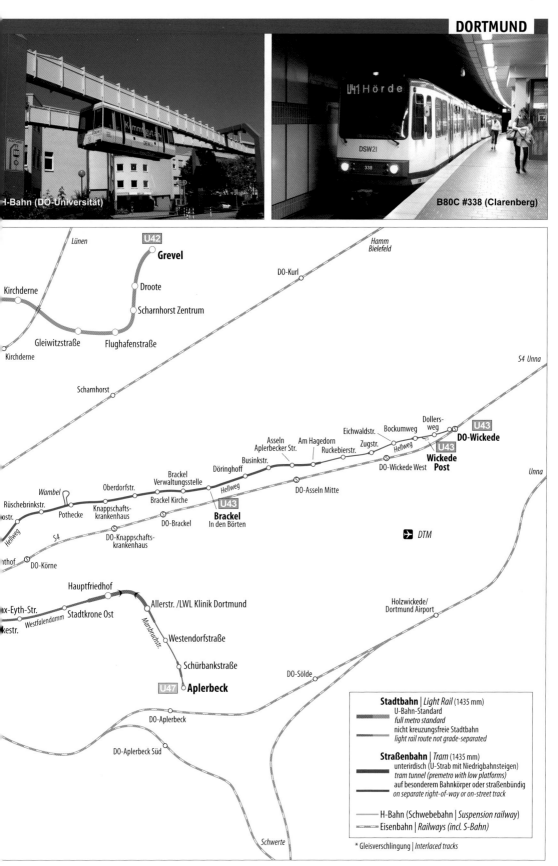

H-Bahn (DO-Universität)

B80C #338 (Clarenberg)

Lünen

U42
Grevel

Kirchderne

Droote

Scharnhorst Zentrum

Gleiwitzstraße   Flughafenstraße

Kirchderne

Hamm
Bielefeld

DO-Kurl

S4 Unna

Scharnhorst

Eichwaldstr.   Bockumweg   Dollers-
weg

U43

DO-Wickede

Asseln
Aplerbecker Str.   Am Hagedorn
Ruckebierstr.   Zugstr.   Hellweg   U43

Wickede
Post

Businkstr.

DO-Wickede West

Döringhoff

Unna

Oberdorfstr.   Brackel
Verwaltungsstelle   Hellweg   DO-Asseln Mitte

Wambel

Rüschebrinkstr.   Pothecke   Knappschafts-
krankenhaus   Brackel Kirche

ostr.   DO-Brackel

U43
Brackel
In den Börten

Hellweg   S4   DO-Knappschafts-
krankenhaus

✈ DTM

nthof   DO-Körne

Hauptfriedhof

x-Eyth-Str.   Stadtkrone Ost   Allerstr. /LWL Klinik Dortmund

Westfalendamm

kestr.

Holzwickede/
Dortmund Airport

Marsbruchstr.

Westendorfstraße

Schürbankstraße

U47 **Aplerbeck**

DO-Sölde

DO-Aplerbeck

DO-Aplerbeck Süd

Schwerte

Stadtbahn | *Light Rail* (1435 mm)
U-Bahn-Standard
full metro standard
nicht kreuzungsfreie Stadtbahn
light rail route not grade-separated

Straßenbahn | *Tram* (1435 mm)
unterirdisch (U-Strab mit Niedrigbahnsteigen)
tram tunnel (premetro with low platforms)
auf besonderem Bahnkörper oder straßenbündig
on separate right-of-way or on-street track

H-Bahn (Schwebebahn | *Suspension railway*)
Eisenbahn | *Railways (incl. S-Bahn)*

* Gleisverschlingung | *Interlaced tracks*

49

NGTD12DD #2830 (Carolaplatz)

NGT6DD #2586 (Pirnaischer Platz)

Dresden (Sachsen)

- 551 000 (328 km²)
- ~ 800 000
- \<el.\> 1893
- 1450 mm
- 130 km (DVB: 134.2 km)
- 12
- DVB (Dresdner Verkehrsbetriebe AG) www.dvb.de
- VVO (Verkehrsverbund Oberelbe) www.vvo-online.de
- Day Pass 6.00 € (Zone 10 = Dresden) 9.00 € (Zone 10+52 = DD+Weinböhla)

Fahrzeuge | Rolling Stock

Nummer Number	Anzahl Quantity	Hersteller Manufacturer	Typ Class	Länge Length	Breite Width	Ausgeliefe Delivered
224 217...224 277	~12	ČKD	Tatra T4DMT =>	14.0 m	2.20 m	1971-198
244 020...244 048	~6	ČKD	Tatra TB4D*		2.20 m	1974-19
2501-2547	47	Waggonbau Bautzen/Kons. Sachsentram/Siemens	NGT6DD =>	29.2 m	2.30 m	1995-199
2581-2593	13	Waggonbau Bautzen/Kons. Sachsentram/Siemens	NGT6DD <=>	29.2 m	2.30 m	1995-199
2701-2723	23	Siemens/Bombardier	NGT8DD =>	40.5 m	2.30 m	2001-200
2801-2843	43	Bombardier	NGTD12DD =>	45.0 m	2.30 m	2003-20
2601-2640	40	Bombardier	NGTD8DD =>	29.3 m	2.30 m	2006-200

Tram Museum

Btf Trachenberge

Ittrachau

Trachenberger Platz

Pieschen

Zeithainer Straße

Heeresbäckerei

13 Mickten

Rathaus Pieschen

Altpieschen

Bürgerstr.

13

Liststr.

Stauffenergallee

Oschatzer Str.

S1

Fritz-Reuter-Str.

Aufgrund von Bauarbeiten auf der Augustusbrücke werden die Linien 4, 8 und 9 bis mind. 2020 umgeleitet. Due to construction work on Augustusbrücke, tram lines 4, 8 and 9 operate via nearby bridges until at least 2020.

S2

7·8

Tannenstraße

10 Messe eisschleife

Großenhainer Platz

Friedens-str.

13

Bischofs-platz

Bischofsweg

MESSE DRESDEN

Alexander-Puschkin-Platz

Lößnitzstraße

3

Bischofsweg

Alaunplatz

Messering (Halle 1)

Alter Schlachthof

4·9

Louisenstr.

7·8

Görlitzer Str.

Nordstraße

Bf. Neustadt (Hansastr.)

Dresden-Neustadt

3·6·11

Pulsnitzer Str.

11

Alberthafen

Bahnhof Neustadt

Antonstr./ Leipziger Str.

Antonstr.

Albert-platz

Bautzner Str./Rothenburger Str.

Diakonissenkrankenhaus

Vorwerkstraße

4·9

3·7·8

Rosa-Luxemburg-Platz

Krankenhaus Friedrichstadt

10

Friedrichstr.

S1·S2

6·11

Marienbrücke

4

Palaisplatz

Albertstr.

Carola-platz

Albertbrücke

6·13

Sachsenallee

Btf Waltherstraße

Kongresszentrum

Neustädter Markt

8 Köpckestr. nur | only 8

Sachsenallee

Gerokstr.

6

Waltherstr.

Weißeritzstr.

10

Am Zwingerteich

Augustusbrücke

← Elbe

Synagoge

Permoserstr.

Trinitatis-platz

Manitiusstr.

1

Dresden-Mitte

6

Theaterplatz

Dürerstr.

Koreanischer Platz

Bahnhof Mitte

11

48·9

St.-Benno-Gymnasium

2·6

Schweriner Str.

1·2

1·2·4

Altmarkt

3·7

8·9

1·2·4·12

Deutsches Hygiene-Museum

13

Schweriner Str.

12

Postplatz

Wilsdruffer Str.

Pirnaischer Platz

4·10·12

10

Freiberger Str.

Schwimmhalle Freiberger Platz

Wallstr.

8·9·11·12

3·7·12

Straßburger Platz

Krankenhaus St. Joseph-Stift

Cottaer Str.

S-Bf. Freiberger Straße

Dr.-Külz-Ring

Grunaer Str.

1·2 Stübelallee

DD-Freiberger Str.

7·12

Ammonstr.

7·10

Prager Str.

8·9·11

10·13

Am Straßburger Platz

Comeniusplatz

Rosenstr.

Budapester Str.

3·7

Walpurgisstraße

Großer Garten

Oederaner Str.

Hbf

Hauptbahnhof Nord

Lennestraße

Parkeisenbahn

Zoo

Palaisteich

S3

(Nossener Brücke)

9·10·11

Gret-Palucca-Str.

Wiener Str.

Lennéplatz

Zoo

9·13

proj.

DRESDEN Hauptbahnhof

11

Tiergartenstr.

Queralee

Carolasee

(Chemnitzer Str.)

proj. Nürnberger Str.

8

Reichenbachstr.

3·8

S1·S2

(Bernhardstr.)

Südvorstadt

Münchner Str.

500 m

Strehlener Platz

Nürnberger Platz

DRESDEN

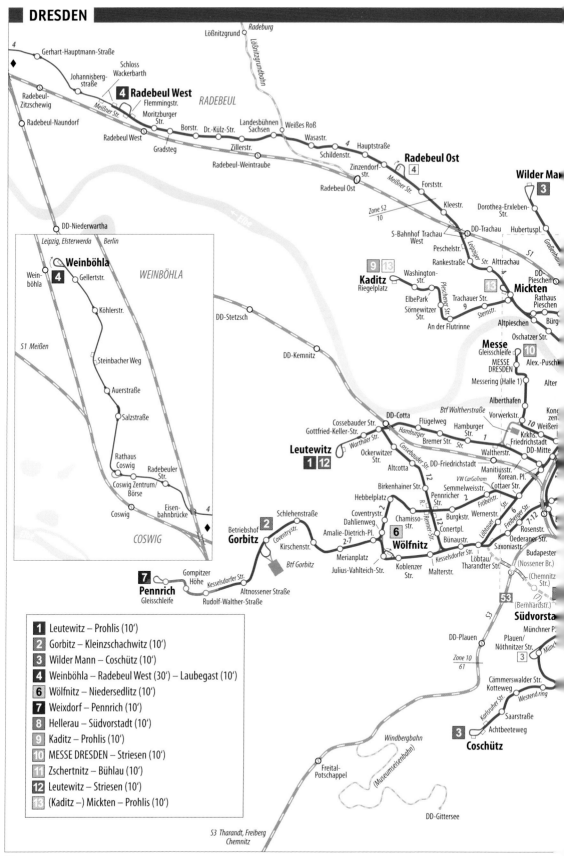

Lößnitzgrund
Radeburg
Lößnitzgrundbahn

4 Gerhart-Hauptmann-Straße

Schloss
Wackerbarth
Johannisberg-
straße

4 **Radebeul West** *RADEBEUL*
Flemmingstr.

Radebeul-
Zitzschewig

Moritzburger
Str.

Radebeul-Naundorf
Borstr. Dr.-Külz-Str. Landesbühnen Sachsen
Weißes Roß

Radebeul West
Gradsteg
Zillerstr.
Wasastr.
Hauptstraße

Radebeul-Weintraube
Schildenstr.

Zinzendorf-
str.
Radebeul Ost

Radebeul Ost **4**

Forststr.

Wilder Ma▮ **3**

Meißner Str.
Kleestr.
Dorothea-Erxleben-
Str.

DD-Niederwartha
Zone 52
10

S-Bahnhof Trachau
West
DD-Trachau
Hubertuspl.

Peschelstr.
Leipziger Str. Alttrachau

S1

Rankestraße

9 **13**

Washington-
str.

DD-
Pieschen

Leipzig, Elsterwerda Berlin

Weinböhla

Kaditz
Riegelplatz

13

Mickten

Rathaus
Pieschen

Wein-
böhla
4 Gellerstr.
WEINBÖHLA

ElbePark
Sörnewitzer
Str.
Pleschener Str.

Trachauer Str.
9
Sternstr.

Köhlerstr.

Altpieschen
Bürg

An der Flutrinne
Oschatzer Str.

DD-Stetzsch

Messe
Gleisschleife
10

S1 Meißen

Steinbacher Weg
MESSE
DRESDEN
Alex.-Puschk

DD-Kemnitz
Messering (Halle 1)
Alter

Auerstraße

Alberthafen

Salzstraße
DD-Cotta
Flügelweg
Btf Waltherstraße
Vorwerkstr.
Kon
zen

Cossebauder Str.
Hamburger
Str.
Hamburger Str.
1
Weißeri

Rathaus
Coswig
Gottfried-Keller-Str.
Bremer Str.
Krkhs.
Friedrichstadt

Leutewitz
Warthaer Str.
Cossebauder Str.
Walterstr.
DD-Mitte

Radebeuler
Str.
1 **12**
Ockerwitzer
Str.
DD-Friedrichstadt
Manitiusstr.

Coswig Zentrum/
Börse
Altcotta
VW CarGoTram
Korean. Pl.

Eisen-
bahnbrücke
Birkenhainer Str.
12
Semmelweisstr.
Cottaer Str.

Coswig
4
Hebbelplatz
Pennricher
Str.
2
Fröbelstr.
6

COSWIG
Schlehenstraße
Coventrystr.
Dahlienweg
2
Remer-Str.
Burgkstr.
Werner str.
7-12

Betriebshof
2
Gorbitz
Coventrystr.
Amalie-Dietrich-Pl.
2-7
Chamisso-
str.
Conertpl.
12
Rosenstr.

7
Gompitzer
Höhe
Kirschenstr.
Btf Gorbitz
Merianplatz
6
Wölfnitz
Bünaustr.
Kesselsdorfer Str.
Saxoniastr.
Oederaner Str.

Pennrich
Gleisschleife
Kesselsdorfer Str.
Altnossener Straße
Julius-Vahlteich-Str.
Koblenzer
Str.
Malterstr.
Löbtau/
Tharandter Str.
Budapester
(Nossener Br.)

Rudolf-Walther-Straße

(Chemnitz
Str.)

53
(Bernhärdstr.)

S3

Südvorsta

DD-Plauen
Münchner P.

Plauen/
Nöthnitzer Str.
3
Münc

Zone 10
61

Cämmerswalder Str.
Kotteweg
Westend ring

Karlsruher Str.
Saarstraße

3
Achtbeeteweg

Coschütz

Windbergbahn

Freital-
Potschappel
(Museumseisenbahn)

DD-Gittersee

S3 Tharandt, Freiberg Chemnitz

1 Leutewitz – Prohlis (10')
2 Gorbitz – Kleinzschachwitz (10')
3 Wilder Mann – Coschütz (10')
4 Weinböhla – Radebeul West (30') – Laubegast (10')
6 Wölfnitz – Niedersedlitz (10')
7 Weixdorf – Pennrich (10')
8 Hellerau – Südvorstadt (10')
9 Kaditz – Prohlis (10')
10 MESSE DRESDEN – Striesen (10')
11 Zschertnitz – Bühlau (10')
12 Leutewitz – Striesen (10')
13 (Kaditz –) Mickten – Prohlis (10')

Brunnenweg
Zur Neuen Brücke
DD-Klotzsche
Hellerau
...ernweg
Heinrich-Tessenow-Weg
Festspielhaus Hellerau
K.-Liebknecht-Str.
Am Hellerrand
Karl-Marx-Str.
Infineon Nord
Infineon Süd
Moritzburger Weg
Hellersiedlung

7
Königsbruck
DD-Weixdorf
Weixdorf
DD-Weixdorf Bad
Fuchsberg
Königsbrücker Landstr.
DD-Grenzstraße
Industriepark Klotzsche
Görlitz Zittau
DD-Flughafen
S2
Arkonastraße
*
Käthe-Kollwitz-Platz
Zur Neuen Brücke
7
DD-Klotzsche

DD-Industriegelände
51
f Trachenberge ram Museum
enberger Platz
thainer Straße
7·8
Heeresbäckerei
Königsbrücker Str.
S2
F.-Reuter-Str.
Stauffenballee
DD-Bischofs-platz
Tannenstraße
Bischofsweg
Friedens-str.
7·8
Alaunplatz
Waldschlößchen
Wilhelminenstr.
Mordgrund-brücke
Schwimmhalle Bühlau
Bühlau
Ullersdorfer Platz
11
Lößnitz-str.
13
Louisen-str.
Görlitzer Str.
Pulsnitzer Str.
Bautzner Str.
Angelikastr.
Elbschlösser
Plattleite
Bautzner Landstr.
Grundstr.
DD-Neustadt
6·11
Nordstraße
Diakonissenkrankenhaus
Am Weißen Adler
Hegereiter-str.
Albertpl.
Albertstr.
6·13
Bautzner Str./ Rothenburger Str.
Elbe
Weißer Hirsch
Standseilbahn (Funicular)
Palaispl.
Rosa-Luxemburg-Platz
Oberloschwitz
Schwebebahn (Suspension Railway)
Neustädter Markt m Zwinger-teich
8
Carolapl.
Permoser-str.
Trinitatis-platz
Augsburger Str.
Lene-Glatzer-Str.
6·12
Prellerstr.
Loschwitz/ Körnerplatz
Blasewitz/ Schillerpl.
Sachsenallee
Blasewitzer Str.
Königsheimpl.
Loschwitzer Str.
Theaterpl.
Synagoge
Dürerstr.
Blasewitzer Str./ Fetscherstr.
Jüngststraße
Postpl.
1·2·4
St.-Benno-Gym.
Gabelsbergerstr.
Heinrich-Schütz-Str.
Altmarkt
8·9·11·12
1·2·4·12
Straßburger Platz
Fetscherplatz
Tolkewitzer Str.
Pirnaischer Platz
13
Krankenhaus St.-Joseph-Stift
Mosenstr.
Bergmannstr.
Pohlandplatz
Altenberger Str.
Gustav-Freytag-Str.
RESDEN Hbf
Walpurgisstr.
13
Spenerstr.
4·10
Schandauer Str.
L.-Hartmann-Str.
Prager Str.
Georg-Arnhold-Bad
Gottleubaer Str.
10 12
Hbf Nord
G.-Palucca-Str.
Comeniusplatz
Lipsiusstr.
1·2
Ludwig-Hartmann-Str.
Striesen
Wehlener Str.
Tolkewitz Schulcampus
Lennéstr.
10
Lennépl.
Karcherallee
Johannisfriedhof
4·6
9·10·11
Lennéplatz (Gellertstr.)
Zoo
Queralle
Parkeisenbahn
Zwinglistraße
Wasserwerk Tolkewitz
Reichenbachstr.
(Staats- u. Uni.-Bibliothek)
Strehlener Platz
Ackermannstr.
DD-Strehlen
Liebstädter Straße
Rennplatzstraße
Alttolkewitz
Hermann-Seidel-Str.
(9)
(TU)
(9)
proj.
(C.-D.-Friedrich-Str.)
Wasaplatz
Rauensteinstraße
Leubener Str.
Leubener Str.
Laubegast
Kronstädter Pl.
Zellescher Weg
Mockritzer Str.
Cäcilienstr.
Lockwitzer Str.
S1·S2
Marienberger Straße
Prof.-Ricker-Straße
Laibacher Str.
4
Räcknitzhöhe
Hugo-Bürkner-Straße
Eugen-Bracht-Str.
Reicker Str.
DD-Reick
Lassallestraße
Pirnaer Landstr.
Großglocknerstraße
Klein-zschachwitz
Paradiesstr.
Otto-Dix-Ring
9·13
Wieckestraße
Abzweig nach Reick
Rottwern-dorfer Str.
Friedhof Leuben
6
Berthold-Haupt-Str.
Freystr.
11
Zschertnitz
Münzmeisterstr.
Lohrmannstraße
Altreick
Breitscheidstr.
Altleuben
2·6
B.-Haupt-Str.
Meußlitzer Str.
2
Hülßestraße
Btf Reick
DD-Dobritz
Heckenweg
Trattendorfer Str.
Mügelner Str.
Guerickestraße
Stephensonstr.
Albert-Wolf-Platz
Prohliser Allee
Jacob-Winter-Platz
Straße des 17. Juni
Georg-Palitzsch-Str.
Försterlingstr.
6
Prohlis
Gleisschleife
1 9 13
DD-**Niedersedlitz**
S1 Schöna, Bad Schandau
S2 Pirna Praha
Mörtzinenende

Legende:
━● Straßenbahn | *Tram*
┅○ Eisenbahnstrecken | *Railway routes*
┅○ Museumseisenbahn | *Heritage railway*

* Gleisverschlingung | *Interlaced tracks*

1 km

GT10 #1016 (Schwanentor: Rathaus > Landesarchiv NRW)

B80C #4708 (D-Froschenteich)

Duisburg (Nordrhein-Westfalen)

498 000 (233 km²)

el. 1897   1435 mm

58 km – inkl.
   U79: bis Stadtgrenze | up to city boundary
   901: bis | up to Mülheim Hbf

3

DVG (Duisburger Verkehrsgesellschaft AG)
www.dvg-duisburg.de

VRR (Verkehrsverbund Rhein-Ruhr)
www.vrr.de

[A] 7.10 € (Duisburg)
[B] 14.50 € (DU + Dinslaken, Düsseldorf,
   Mülheim, Essen, Krefeld)

Fahrzeuge | *Rolling Stock*

Nummer *Number*	Anzahl *Quantity*	Hersteller *Manufacturer*	Typ *Class*	Länge *Length*	Breite *Width*	Ausgeliefert *Delivered*
4701-4718	18	Duewag	B80C <=>	28.0 m	2.65 m	1983-1984
1001...1045	43	Duewag	GT10 NC-DU <=>	32.6 m	2.20 m	1986-1993
bestellt | *ordered* 12/2017	*47 (+5)*	Bombardier	*Flexity Classic* (70% Niederflur | *low-floor*)	*34.0 m*	*2.30 m*	*2019-2023*

901
Hermannstr.
901
Heckmann
Weseler Str.
Morian Stift
Obermarxloh Schleife
Wolfstr.
Lohstr.
Kopernikusstr.
Marxloh Pollmann
Markgrafenstr.
Hamborn Betriebshof
Wilfriedstr.
Kampstr.
Rhein-Ruhr-Halle
Duisburger Str.
Hamborn Rathaus
Thyssen Verwaltung
903
Hamborn Feuerwache
Matenastraße
Amsterdamer Straße
Thyssen Kokerei
Kaiser-Wilhelm-Str.
Neumühler Str.
Theodor-Heuss-Str.
Beeck Denkmal
Landschaftspark Nord
Brauerei
Voßstraße
Friedrich-Ebert-Str.
Stockumer Str.
Emilstraße
Neanderstr.
Meiderich Süd
Meiderich Ost
– Rhein –
Laar Kirche
DU-Obermeiderich
Scholtenhofstr. 901
Auf dem Damm
Meiderich Bahnhof U79
Oberhausen
Thyssen Tor 30
903 U79
Friedrichsplatz
DU-Ruhrort
Karlstraße
Tausendfensterhaus
Ruhr
Vinckeweg
S2
S1
S3
MH-Styrum
Albertstr.
Ruhrorter Str. 901
Duissern U79
Sültenfuß
Zehntweg
Kaßlerfelder Str.
König-Heinrich-Platz
Schweizer Str.
MH-Monning
Rennbahn
Dümptener Str.
Bessemerstr.
Marienplatz
102
Landesarchiv NRW
Jakobstr.
Mülhenstr.
Buchenberg
104
DUISBURG Duisburg Rathaus
Lutherpl.
DU-Zoo/Uni 901
Raffelberg
Hansastr.
Kolkmann
Mülheim West
Aktienstr.
Feuer-wache
66
Steinsche Gasse
S
901 U18
MÜLHEIM Hbf
U18
Platenhof
Kremerstr.
Speldorf Betriebshof
Königstr.
Stadtmitte
Brückenplatz
Musfeldstr.
DUISBURG Hbf
Speldorf Bahnhof
Schloss Broich
112
Siechenhausstr.
Karl-Jarres-Str.
S2
Thüringer Straße
Trooststr.
Stiftstr.
Pauluskirche
Düsseldorfer Str.
Grunewald
MÜLHEIM an der Ruhr
102
Broich Friedhof
Wasserstr.
Marienhospital
903
Grunewald Betriebshof
Heuweg
102
Spielplatz
DUISBURG
DU-Hochfeld Süd
Kulturstr.
Uhlenhorst
Waldschlösschen
DU-Rheinhausen Ost
Wanheimer Str.
Im Schlenk
Fischerstr.
Schlenk
Wedau
Rheintörchenstraße 903
Waldfriedhof
Bissingheim
DU-Rheinhausen
Neuenhofstr.
DU-Entenfang
903
U79
Ehinger Straße
Münchener Straße
Buchholz
Heiligenbaumstr.
Rheinstahl
Ehinger Str.
Tiger & Turtle
Sittardsberg
DU-Entenfang
Mannesmann Tor 1
S1
Hüttenheim
Mühlenkamp*
Mannesmann Tor 2 903
St.-Anna-Krankenhaus
Großenbaum
DU-Kesselsberg
DÜSSELDORF
U79
DU-Rahm
1 km
59
D-Froschenteich
Düsseldorf, Universität Ost
Düsseldorf

DUISBURG (inset)

903
Dinslaken
Amsterdam Wesel
Neustraße
Trabrennbahn
DINSLAKEN
Oberhausen
Pollenkamp
Dinslaken/Bärenstr.
903
DU-Watereck
Vierlinden
Friedrich-Ebert-Str.
Fasanenstraße
Walsum Betriebshof
Walsum Rathaus
Sonnenstraße
903
Schwan
Striepweg

U79	Meiderich Bf – Kesselsberg (15') – D-Universität Ost (10')
901	Obermarxloh – Mülheim Hbf (15')
903	Dinslaken – Watereck (15') – Rheintörchenstr. (7-8') – Hüttenheim (15')
U18 102 104 112	⇒ Essen/Mülheim

Aufgrund akuten Fahrzeugmangels, bis auf Weiteres Busersatzverkehr zwischen Obermarxloh und Landesarchiv NRW sowie zwischen Rheintörchenstraße und Hüttenheim!
Due to rolling stock shortage, buses will replace trams between Obermarxloh and Landesarchiv NRW as well as between Rheintörchenstraße and Hüttenheim until further notice!

Stadtbahn | *Light Rail* (1435 mm)
mit U-Bahn-Standard
full metro standard
Stadtbahn nicht kreuzungsfrei
light rail route not grade-separated

Straßenbahn | *Tram*
unterirdisch (U-Strab mit Niedrigbahnsteigen)
tram tunnel (premetro with low platforms)
1435 1000 mm
besonderer Bahnkörper oder straßenbündig
separate right-of-way or on-street tracks

Strecke mit 4-Schienen-Gleis (1435/1000 mm)
Section with 4-rail track

Eisenbahn | *Railways* (incl. S-Bahn)

* Fußgängerübergang | *Pedestrian level crossing*

NF8U #3325 (Bilk S)

B80 #4104 (Oberkasseler Brücke: Luegplatz > Tonhalle/Ehrenhof)

Düsseldorf (Nordrhein-Westfalen)

618 000 (217 km²)

~ 1 000 000

1896

1435 mm

Tram: 83.2 km*
Stadtbahn**: ~42 km* − inkl.
U79: bis Stadtgrenze | *up to city boundary*
+ 14.5 km: U76 Lörick − Krefeld

Tram: 11; Stadtbahn**: 6 (+1)

Rheinbahn AG
www.rheinbahn.de

VRR (Verkehrsverbund Rhein-Ruhr)
www.vrr.de

[A] 7.10 € (Düsseldorf)
[B] 14.50 € (D + Duisburg, Ratingen,
Meerbusch, Krefeld)

* ~5.1 km Tram/Stadtbahn
 auf denselben Gleisen | *shared tracks*
** Stadtbahn = Hochflurlinien | *high-floor system*

NF10 #2011 (Medienhafen, Kesselstraße)

...hrzeuge | *Rolling Stock*

...mmer ...mber	Anzahl Quantity	Hersteller Manufacturer	Typ Class	Länge Length	Breite Width	Ausgeliefert Delivered
01...3236	30	Duewag	GT8SU* <=>	26.2 m	2.40 m	1973-1974
02-4012, 4101-4104, 4201...4288	103	Duewag	B80D* <=>	28.0 m	2.65 m	1981-1993
01-2141, 2143-2148	47	Duewag	NF6 =>	27.5 m	2.40 m	1996-1999
01-2036	36	Siemens	NF10 *Combino* =>	40.0 m	2.40 m	2000-2002
01-2215	15	Siemens	NF8 *Combino* =>	29.7 m	2.40 m	2003
01-3376	76	Siemens/Vossloh-Kiepe	NF8U <=>	30.0 m	2.40 m	2006-2012
03	1/42	Bombardier	HF6 *Flexity Swift** <=>	28.0 m	2.65 m	2018-2020

...chflurwagen mit Klapptrittstufen | *high-floor vehicles with folding steps*

GT8SU #3224 (Kettwiger Straße)

NF6 #2119 (Uni-Kliniken)

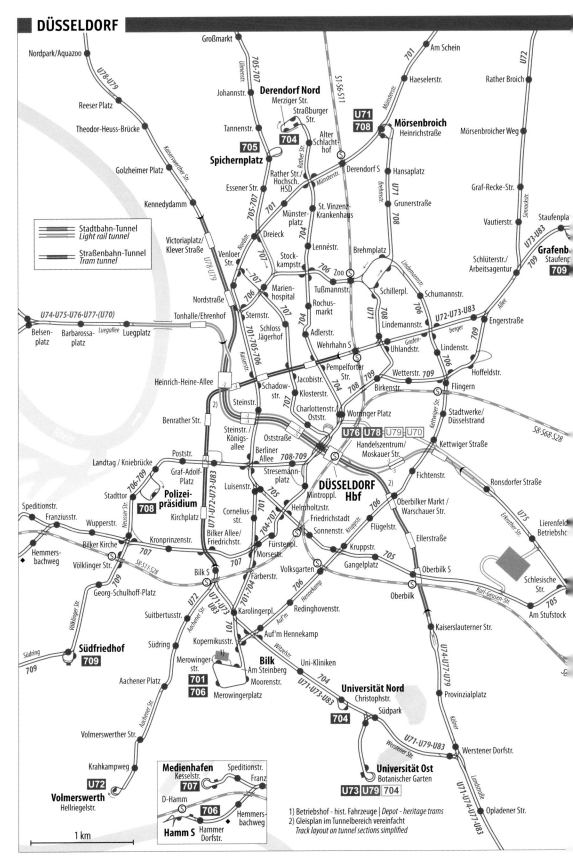

DÜSSELDORF

Nordpark/Aquazoo
U78·U79
Reeser Platz
Theodor-Heuss-Brücke
Golzheimer Platz
Kaiserswerther Str.
Kennedydamm

Großmarkt
Ulmenstr.
Johannstr.
Derendorf Nord
Merziger Str.
Straßburger Str.
705-707
Tannenstr.
705
704
Spichernplatz
Rather Str.
Alter Schlacht-hof
Rather Str./ Hochsch. HSD
Münsterstr.
Essener Str.
Münster-platz
705-707
701
St. Vinzenz-Krankenhaus

Am Schein
701
Haeselerstr.
U72
Rather Broich
Münsterstr.
U71 708
Mörsenbroich
Heinrichstraße
Mörsenbroicher Weg
Derendorf S
Hansaplatz
Brehmstr.
U71
708
Gruner Straße
Graf-Recke-Str.
Vautierstr.
Staufenpla
Simrockstr.
U73·U83
Grafenb
Staufen
709
709

Victoriaplatz/ Klever Straße
U78·U79
Dreieck
Nordstr.
707
Venloer Str.
706
Stock-kampstr.
Lennéstr.
706
Zoo
Schillerpl.
Schumannstr.
Schlüterstr./ Arbeitsagentur
709

U74·U75·U76·U77·(U70)
Belsen-platz
Barbarossa-platz
Luegallee
Luegplatz
Tonhalle/Ehrenhof
Nordstraße
706
707
Sternstr.
704
Marien-hospital
Tußmannstr.
Brehmplatz
706
708
U71
Lindemannstr.
U72·U73·U83
berger
709
Engerstraße

Rhein
Schloss Jägerhof
Rochus-markt
Adlerstr.
Wehrhahn S
706
Lindemannstr.
706
Lindenstr.
Hoffeldstr.
708·709
Wetterstr.
709
S8·S68·S28
Flingern

Heinrich-Heine-Allee
-2
-3
2)
Schadow-str.
Steinstr.
Jacobistr.
Klosterstr.
Charlottenstr.
Oststr.
704
708
709
Birkenstr.
Pempelforter Str.
Uhland str.
Grafen-
Stadtwerke/ Düsselstrand
Kettwiger Str.

Benrather Str.
Steinstr./ Königs-allee
Oststraße
Berliner Allee
708·709
Worringer Platz
U76 U78 U79 U70
Handelszentrum/ Moskauer Str.
-2
-3
Kettwiger Straße
Fichtenstr.
Ronsdorfer Straße

Landtag / Kniebrücke
Poststr.
706·709
Graf-Adolf-Platz
Kirchplatz
U71·U72·U73·U83
Luisenstr.
Stresemann-platz
DÜSSELDORF Hbf
2)
U75
Lierenfeld
Betriebsho

Stadttor
708
Polizei-präsidium
Cornelius-str.
704·707
Mintroppl.
Helmholtzstr.
Friedrichstadt
Sonnenstr.
Kruppstr.
706
Oberbilker Markt / Warschauer Str.
Flügelstr.
Ellerstraße
Schlesische Str.

Speditionstr.
Franziusstr.
Wupperstr.
Neusser Str.
Bilker Kirche
707
Kronprinzenstr.
Graf-Adolf-Platz
Bilker Allee/ Friedrichstr.
701
705
Fürstenpl.
Morsestr.
Färberstr.
Kruppstr.
Gangelplatz
705
Oberbilk S
Am Stufstock
Karl-Geusen-Str.
705

Hemmers-bachweg
Völklinger Str.
S8·S11·S28
707
Georg-Schulhoff-Platz
Völklinger Str.
709
U72
Bilk S
701·704
Volksgarten
Hennekamp
Redinghovenstr.
Oberbilk
Kaiserslauterner Str.
U74·U77·U79

Südfriedhof
709
Südring
709
Suitbertusstr.
Südring
Kopernikusstr.
Aachener Str.
U71·U73 U83
701
Karolingerpl.
Auf'm Hennekamp
Witzelstr.
Uni-Kliniken
704
Universität Nord
Christophstr.
Provinzialplatz
Kölner

Merowinger-str.
701
706
Merowingerplatz
1)
Am Steinberg
Moorenstr.
Bilk
U71·U73·U83
704
Südpark
Werstener Str.
U71·U79·U83
Werstener Dorfstr.

Aachener Platz
Aachener Str.
Volmerswerther Str.
Krahkampweg

Medienhafen
Kesselstr.
707
D-Hamm
706
Hamm S
Speditionstr.
Franz
Hemmers-bachweg
Hammer Dorfstr.

Universität Ost
Botanischer Garten
U73 U79 704
Opladener Str.
U71·U74·U77·U83
Landstraße
Kölner

Volmerswerth
Hellriegelstr.
U72

1) Betriebshof - hist. Fahrzeuge | Depot - heritage trams
2) Gleisplan im Tunnelbereich vereinfacht
   Track layout on tunnel sections simplified

Legend
Stadtbahn-Tunnel
Light rail tunnel
Straßenbahn-Tunnel
Tram tunnel

1 km

Stadtbahn

U74 (Mb-Görgesheide –) Lörick – Holthausen (20')
U75 Neuss Hbf – Eller, Vennhauser Allee (10')
U76 Krefeld, Rheinstr. – Düsseldorf Hbf (20')
U77 Am Seestern – Holthausen (20')
U78 Arena/Messe Nord – Düsseldorf Hbf (10')
U79 DU-Meiderich – Wittlaer (15') – Universität Ost (10')
U70 Krefeld, Rheinstr. – Düsseldorf Hbf (*)

* nur einzelne HVZ-Express-Fahrten | only a few peak express trains

Straßenbahn

U71 Rath S – Benrath Betriebshof (20')
U72 Ratingen Mitte – Volmerswerth, Hellriegelstr. (10')
U73 Gerresheim S – Universität Ost (10')
U83 Gerresheim Krankenhaus – Benrath Btf (20')
701 DOME/Am Hülserhof – Bilk, Am Steinberg (10')
704 Derendorf Nord – Uni Nord/Christophstr. (10')
705 Unterrath S – Spichernpl. (20') – Eller, Vennhauser Allee (10')
706 Hamm S – Bilk, Am Steinberg (10')
707 Unterrath S – Medienhafen, Kesselstr. (10')
708 Heinrichstr. – Polizeipräsidium (20')
709 Gerresheim Krankenhaus – Burgmüllerstr. (20') – Südfriedhof (10') – Neuss, Th.-Heuss-Pl. (20')

Stadtbahn mit U-Bahn-Standard
Light Rail with full metro standard
Stadtbahn nicht kreuzungsfrei
Light rail route not grade-separated
Straßenbahn (Linien durch den Wehrhahn-Tunnel)
Tram (lines operating through the tram tunnel)
Straßenbahn (sonstige Linien)
Tram (other lines)
Mischbetrieb Stadtbahn/Straßenbahn
Mixed operation Light Rail/Tram
SkyTrain (Schwebebahn | Suspension Railway)
Andere Bahnstrecken | Other railways (incl. S-Bahn)

Trollino #057 (Hauptbahnhof > Schöpfurter Straße

Eberswalde (Brandenburg)

40 000 (93.2 km²)

<el.> 1940   km 15.7 km

2   Day Pass 3.00 € (Zone 4862)

BBG (Barnimer Busgesellschaft)
www.bbg-eberswalde.de

VBB (Verkehrsverbund Berlin-Brandenburg)
www.vbb.de

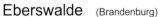

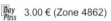

861 Kleiner Stern – Nordend (15')
862 Kleiner Stern – Ostend (15')

Obus | Trolleybus
Eisenbahnstrecken | Railway routes

Stralsund, Schwedt, Szczecin

Oder-Havel-Kanal

Clara-Zetkin-Weg Neue Straße

861 Nordend

Dr.-Gillwald-Höhe

Frankfurt (

Schule Nordend

Rosengrund

Finowkanal

Ackerstraße

Finow Wolfswinkel Eisenspalterei Heegermühler Kranbau

Leibnizviertel

Robert-Koch-Str.

Kleiner Stern 861·862 Forsthaus

Sportzentrum Westend Str. Werbelliner Str.

Schönholzer Straße (Kleiner Stern) **861 862** Eberswalder Str. Spechthausener Straße

Boldtstr. Schöpfurter Str.

Westend-Kino 861·862 Hauptbahnhof Eisenbahnstr. Karl-Marx-Platz Am Markt

8 Ost

Waldhäuschen 861·862 Brandenburger Allee Uckermarkstr. Barnimer Heide

EBERSWALDE Hbf

Grabowstr. Friedrich-Ebert-Straße

Schneiderstr. Karl-Bach-Str.

Schönholzer Str. Brandenburgisches Viertel

Potsdamer Allee Zum Specht

Frankfurter Allee

Gertraudenstr.

Sommer Str.

Am Friedhof Saarstr.

Freienwalder Str.

1 km

Berlin

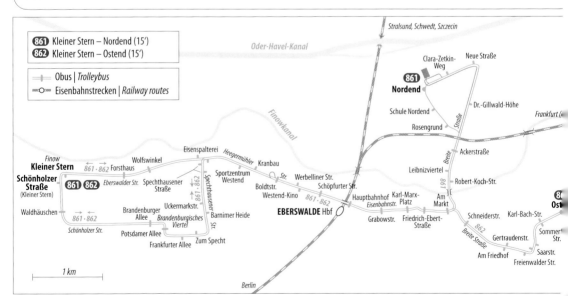

Fahrzeuge | Rolling Stock

Nummer / Number	Anzahl / Quantity	Hersteller / Manufacturer	Typ / Class	Länge / Length	Breite / Width	Ausgeliefert / Delivered
051-061, 063	12	Solaris	Trollino 18AC	18 m	2.50 m	2010-2012

Combino #623 (Orionstraße > Flughafen/Airport)

Combino #723+722 (Wiesenhügel)

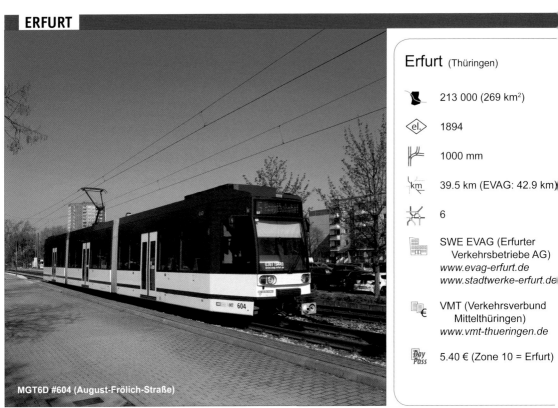

MGT6D #604 (August-Frölich-Straße)

Erfurt (Thüringen)

213 000 (269 km²)

1894

1000 mm

39.5 km (EVAG: 42.9 km)

6

SWE EVAG (Erfurter
  Verkehrsbetriebe AG)
www.evag-erfurt.de
www.stadtwerke-erfurt.de

VMT (Verkehrsverbund
  Mittelthüringen)
www.vmt-thueringen.de

5.40 € (Zone 10 = Erfurt)

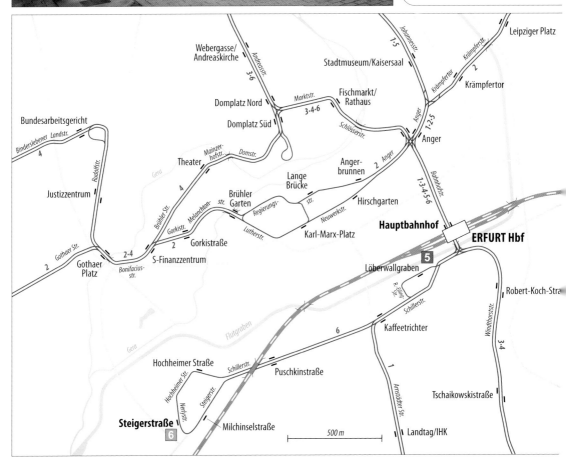

1 Europaplatz – Thüringenhalle (10')
2 P+R-Platz Messe – Ringelberg (10')
3 Europaplatz – Urbicher Kreuz (10')
4 Bindersleben – Wiesenhügel (10')
5 Zoopark – Hauptbahnhof (10')
6 Steigerstraße – Rieth (10')

━●━ Straßenbahn | *Tram*
━○━ Eisenbahn | *Railways*

1 km

Combino #708 (Europaplatz)

hrzeuge | *Rolling Stock*

nmer nber	Anzahl Quantity	Hersteller Manufacturer	Typ Class	Länge Length	Breite Width	Ausgeliefert Delivered
1-606, 608-616	15	Duewag/Siemens	MGT6D (4 <=>, 11 =>)	28.7 m	2.30 m	1994-1998
1-656	36	Siemens	NF6 *Combino* (5-teilig | *5-section*) =>	30.5 m	2.30 m	2000-2005
1-724	24	Siemens	NF4 *Combino* (3-teilig | *3-section*) =>	20.0 m	2.30 m	2002-2012
stellt	*ordered* 10/2018	*14*	*Stadler*	*Tramlink*	*42.0 m*	2.30 m	*(2020-)*

M8D-NF2 Flexity Classic #1606 (Frohnhauser Straße)

B80C #5105 (Christianstraße)

Essen/Mülheim an der Ruhr/Oberhausen
(Nordrhein-Westfalen)

Essen (E): 585 000 (210 km^2)
Mülheim (MH): 171 000 (91 km^2)
Oberhausen (OB): 211 000 (77 km^2)

E: 1893   MH: 1897   Tram: 1000 mm
Stadtbahn: 1435 mm

~114 km (ohne Linie 901 | *without line 901* > Duisburg
(Tram 88.5 km; Stadtbahn 27.5 km; Tram/Stadtbahn 2 k

Tram: 10   Stadtbahn: 3

Ruhrbahn (112: Ruhrbahn & STOAG)
www.ruhrbahn.de | *www.stoag.de*

VRR (Verkehrsverbund Rhein-Ruhr)
www.vrr.de

24 h [A] 7.10 €   [B] € 14.50   ([A] = 1 Stadt | *1 City*)

MGT6D #201 (OB-Sterkrade, Neumarkt)

Foto B. Kußmagk

M8D-NF #1507 (Borbeck, Germaniaplat

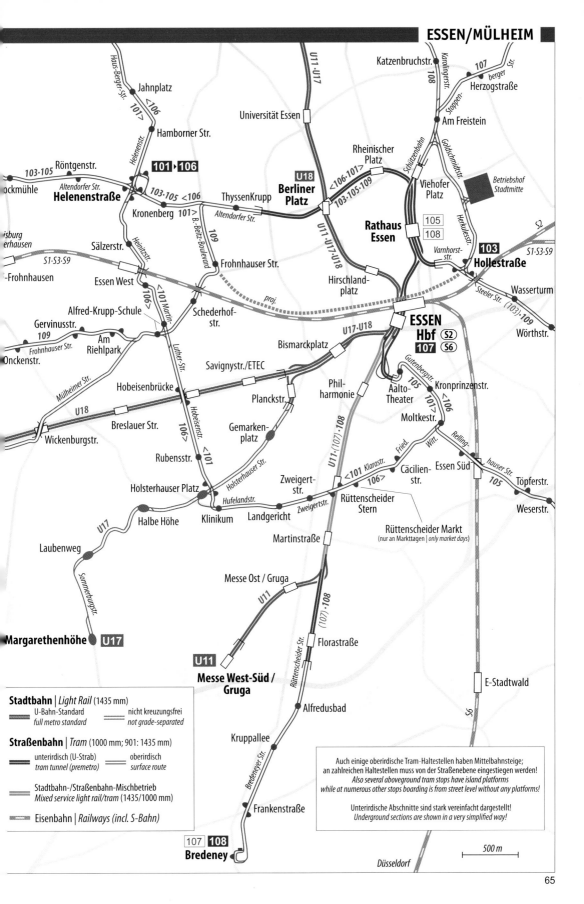

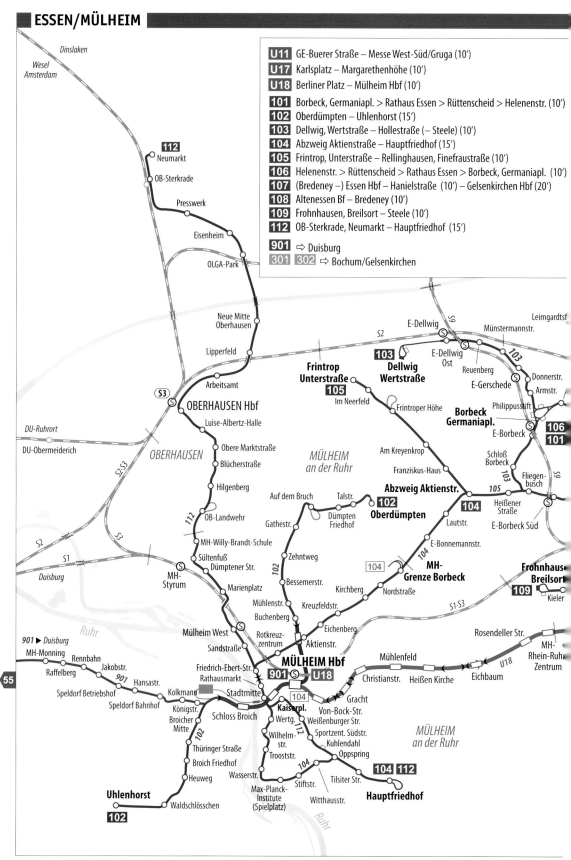

U11 GE-Buerer Straße – Messe West-Süd/Gruga (10')
U17 Karlsplatz – Margarethenhöhe (10')
U18 Berliner Platz – Mülheim Hbf (10')
101 Borbeck, Germaniapl. > Rathaus Essen > Rüttenscheid > Helenenstr. (10')
102 Oberdümpten – Uhlenhorst (15')
103 Dellwig, Wertstraße – Hollestraße (– Steele) (10')
104 Abzweig Aktienstraße – Hauptfriedhof (15')
105 Frintrop, Unterstraße – Rellinghausen, Finefraustraße (10')
106 Helenenstr. > Rüttenscheid > Rathaus Essen > Borbeck, Germaniapl. (10')
107 (Bredeney –) Essen Hbf – Hanielstraße (10') – Gelsenkirchen Hbf (20')
108 Altenessen Bf – Bredeney (10')
109 Frohnhausen, Breilsort – Steele (10')
112 OB-Sterkrade, Neumarkt – Hauptfriedhof (15')

901 ⇨ Duisburg
301 302 ⇨ Bochum/Gelsenkirchen

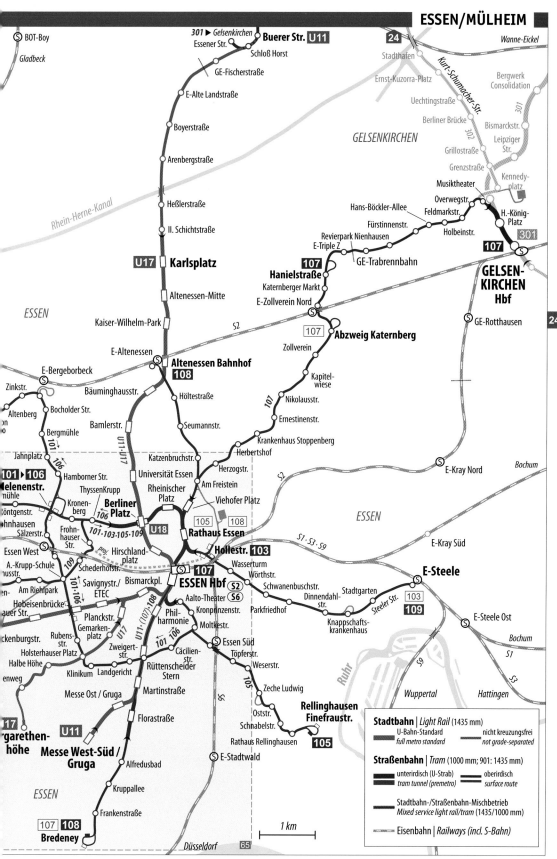

ESSEN/MÜLHEIM

S BOT-Boy

Gladbeck

301 ▶ Gelsenkirchen
Essener Str.
Buerer Str. U11
Schloß Horst
GE-Fischerstraße
E-Alte Landstraße
Boyerstraße
Arenbergstraße
Heßlerstraße
II. Schichtstraße
U17 **Karlsplatz**
Altenessen-Mitte
Kaiser-Wilhelm-Park
E-Altenessen
S
Altenessen Bahnhof
108

Rhein-Herne-Kanal

ESSEN

S2

24
Stadthafen
Kurt-Schumacher-Str.
Ernst-Kuzorra-Platz
Uechtingstraße
Berliner Brücke
Grillostraße
Grenzstraße
Musiktheater
Overwegstr.
Feldmarkstr.
H.-König-Platz
301
107
S
GELSEN-KIRCHEN Hbf

Wanne-Eickel
Bergwerk Consolidation
Bismarckstr.
Leipziger Str.
Kennedy-platz

GELSENKIRCHEN

Hans-Böckler-Allee
Fürstinnenstr.
Holbeinstr.
Revierpark Nienhausen
E-Triple Z
GE-Trabrennbahn
107
Hanielstraße
Katernberger Markt
E-Zollverein Nord
S
107
Abzweig Katernberg
Zollverein
Kapitel-wiese
107
Nikolausstr.
Ernestinenstr.
Krankenhaus Stoppenberg
Herbertshof
Herzogstr.

GE-Rotthausen

S2
E-Kray Nord
Bochum

E-Bergeborbeck
S
Zinkstr.
Altenberg
Bocholder Str.
Bergmühle
Bäuminghausstr.
Höltestraße
Seumannstr.
Katzenbruchstr.
Jahnplatz
101
106
101 ▶ 106
Melenenstr.
Hamborner Str.
Bamlerstr.
röntgenstr.
Kronen-berg
ThyssenKrupp
106
Berliner Platz
U11·U17
Universität Essen
Rheinischer Platz
Am Freistein
Viehofer Platz
105
108
Rathaus Essen

S2

ESSEN

hnhausen
Sälzerstr.
Frohn-hauser Str.
101·103·105·109
U18
Hollestr. 103
E-Kray Süd

Essen West
S
A.-Krupp-Schule
ausstr.
109
Scheiderhofstr.
proj. Hirschland-platz
Savignystr./ ETEC
Bismarckpl.
S 107
ESSEN Hbf
S2 S6
Wasserturm
Wörthstr.
Schwanenbuschstr.
Stadtgarten
103
109
E-Steele
S
E-Steele Ost
Bochum

Am Riehlpark
Höbeisenbrücke
auer Str.
101·106
Aalto-Theater
Kronprinzenstr.
Parkfriedhof
Dinnendahl-str.
Knappschafts-krankenhaus
Steeler Str.

S1·S3·S9

Planckstr.
Gemarken-platz
Rubens-str.
Holsterhauser Platz
Halbe Höhe
enweg
U17
Phil-harmonie
Moltkestr.
Essen Süd
S
Töpferstr.
Weserstr.
Zweigert-str.
Cäcilien-str.
Rüttenscheider Stern
U11· 107 ·108
101 106
Klinikum
Landgericht
Messe Ost / Gruga
Martinstraße
Zeche Ludwig
105
Rellinghausen Finefraustr.

17
margarethen-höhe
U11
Florastraße
Oststr.
Schnabelstr.
Rathaus Rellinghausen
105
Messe West-Süd / Gruga
Alfredusbad
S6
S E-Stadtwald

Ruhr
Wuppertal
S9
Hattingen
S1
Bochum
S3

ESSEN

Kruppallee
Frankenstraße
107 108
Bredeney

Düsseldorf
65

1 km

Stadtbahn | *Light Rail* (1435 mm)
U-Bahn-Standard — *full metro standard*
nicht kreuzungsfrei — *not grade-separated*

Straßenbahn | *Tram* (1000 mm; 901: 1435 mm)
unterirdisch (U-Strab) — *tram tunnel (premetro)*
oberirdisch — *surface route*

Stadtbahn-/Straßenbahn-Mischbetrieb
Mixed service light rail/tram (1435/1000 mm)

Eisenbahn | *Railways (incl. S-Bahn)*

24

M8C #1171 & #1162 (Rüttenscheider Stern)

Fahrzeuge | Rolling Stock

Nummer / Number	Anzahl / Quantity	Hersteller / Manufacturer	Typ / Class	Länge / Length	Breite / Width	Ausgeliefert / Delivered
Tram Essen (1000 mm):						
1401...1415	4	Duewag	M8C <=>	26.6 m	2.30 m	1989-90
1151...1180*	26	Duewag	M8C* <=>	26.6 m	2.30 m	1980-1983
1501-1534	34	DWA/Adtranz	M8D-NF <=>	28.0 m	2.30 m	1999-2001
1601-1627	27	Bombardier	M8D-NF2 *Flexity Classic* <=>	29.7 m	2.30 m	2013-2015
Tram Mülheim (1000 mm):						
277...285	5	Duewag	M6C-NF <=>	25.9 m	2.30 m	1977, 1984
201-203, 205-210**	9	Duewag	MGT6D <=>	28.8 m	2.30 m	1995, 1996
8001-8015	15	Bombardier	M8D-NF2 *Flexity Classic* <=>	29.7 m	2.30 m	2015-2016
Stadtbahn (1435 mm):						
5012-5016, 5031-5032 (MH)	7	Duewag	B100S & B80C	28.0 m	2.65 m	1976, 1985
5101-5111,5121-5128, 5141-5145	24	Duewag	B80C	28.0 m	2.65 m	1976-1978, 1985
5211, 5221-5240	21	LHB/York	P86 & P89 (ex DLR)	28.0 m	2.65 m	1986, 1989

* mit Klapptrittstufen | *with folding steps*   ** STOAG

M6C-NF #277 (MH-Stadtmitte)

Foto: B. Kußmagk

P86 #5238 (Berliner Pla

Trollino #501 (Volkshochschule > Burgunderstraße)

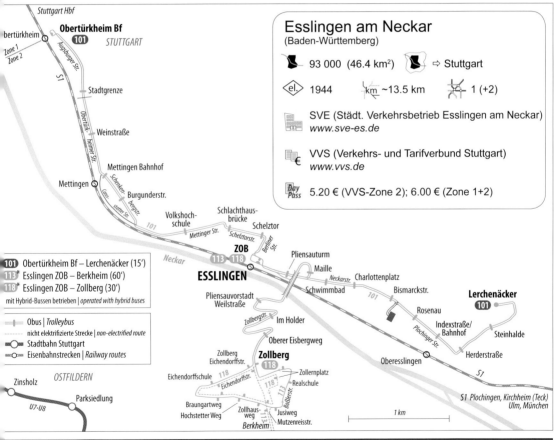

Esslingen am Neckar
(Baden-Württemberg)

93 000 (46.4 km²)   ⇨ Stuttgart

el. 1944   km ~13.5 km   1 (+2)

SVE (Städt. Verkehrsbetrieb Esslingen am Neckar)
www.sve-es.de

VVS (Verkehrs- und Tarifverbund Stuttgart)
www.vvs.de

Day Pass 5.20 € (VVS-Zone 2); 6.00 € (Zone 1+2)

101 Obertürkheim Bf – Lerchenäcker (15')
113* Esslingen ZOB – Berkheim (60')
118* Esslingen ZOB – Zollberg (30')
mit Hybrid-Bussen betrieben | operated with hybrid buses

┄┣━ Obus | Trolleybus
┄┄┄ nicht elektrifizierte Strecke | non-electrified route
━●━ Stadtbahn Stuttgart
━○━ Eisenbahnstrecken | Railway routes

mmer mber	Anzahl Quantity	Hersteller Manufacturer	Typ Class	Länge Length	Breite Width	Ausgeliefert Delivered
0...217	6	Van Hool/Kiepe	AG 300T	17.55 m	2.55 m	2002
1-504	4	Solaris	Trollino (Hybrid-Bus)	18.75 m	2.55 m	2016

hrzeuge | **Rolling Stock**

69

S #265 (Mönchhofstraße)

U5-50 #840 (Musterschule)

Frankfurt am Main (Hessen)

750 000 (248 km²)   ~ 1 500 000

el. 1899   1435 mm

km **T** 68.2 km; **U** Stadtbahn: 67 km (2.5 km i.B. | ⌐

T 8 (+2); **U** Stadtbahn: 9

VGF (VerkehrsGesellschaft Frankfurt am Mai
www.vgf-ffm.de
TraffiQ - www.traffiq.de

RMV (Rhein-Main-Verkehrsverbund)
www.rmv.de

5.35 € (Zone 5000 = Frankfurt exkl. Airport)
9.65 € (+ Airport, Oberursel & Bad Homburg)

Fahrzeuge | Rolling Stock

Nummer Number	Anzahl Quantity	Hersteller Manufacturer	Typ Class	Länge Length	Breite Width	Ausgeliefert Delivered
T 128, 138, 148, 720, 727	5	Duewag	Pt (ex Ptb) <=>	28.7 m	2.35 m	1977
T 001-009, 011-016, 018-040	38	Duewag	R <=>	27.6 m	2.35 m	1993-1995
T 201-274	74	Bombardier	S (8NGTW) *Flexity Classic* <=>	30.3 m	2.40 m	2003-2007, 20
T *bestellt	ordered 06/2018*	*45*	*Alstom*	*T Citadis* <=>	*31.5 m*	*2.40 m*	*(2020-2023)*
U 501-516, 518-531, 533-539	37	Duewag	U4	25.8 m	2.65 m	1994-1997
U 603-696	94	Bombardier	U5-25 *Flexity Swift*	25.8 m	2.65 m	2014-2017
U 801-930	130	Bombardier	U5-50 *Flexity Swift*	50.3 m	2.65 m	2011-2017
U *bestellt	ordered 09/2018*	*22*	*Bombardier*	*U5-KR Mittelwagen*	centre modules**	*25 m*	*2.65 m*	*(2020-2021)*

* für U5-50 | *for U*

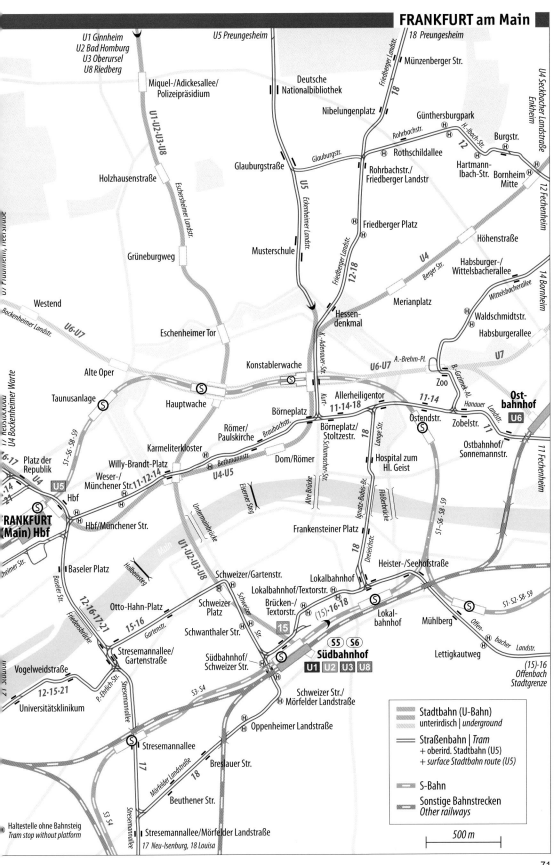

U1 Ginnheim
U2 Bad Homburg
U3 Oberursel
U8 Riedberg

U5 Preungesheim

18 Preungesheim

U4 Seckbacher Landstraße
Enkheim

Münzenberger Str.

Miquel-/Adickesallee/
Polizeipräsidium

Deutsche
Nationalbibliothek

Nibelungenplatz

Günthersburgpark

Rohrbachstr.

H.-Ibach-Str.

Burgstr.

12

Rothschildallee

Hartmann-
Ibach-Str.

Bornheim
Mitte

12 Fechenheim

Glauburgstraße

Glauburgstr.

Rohrbachstr./
Friedberger Landstr

Holzhausenstraße

Eschersheimer Landstr.

U1·U2·U3·U8

Höhenstraße

Friedberger Platz

Musterschule

Habsburger-/
Wittelsbacherallee

14 Bornheim

U4

Berger Str.

Wittelsbacherallee

Merianplatz

Waldschmidtstr.

Eckenheimer Landstr.

Friedberger Landstr.

12·18

Grüneburgweg

U5

Habsburgerallee

Westend

Bockenheimer Landstr.

U6·U7

Eschenheimer Tor

Hessen-
denkmal

A.-Brehm-Pl.

U7

Zoo

B.-Grzimek-Al.

Ost-
bahnhof

U6

Alte Oper

Konstablerwache

U6·U7

K.-Adenauer-Str.

Taunusanlage

Hauptwache

Allerheiligentor

11·14

Hanauer Landstr.

11

Platz der
Republik

U4 Bockenheimer Warte

S7·S6·S8·S9

Börneplatz

11·14·18

Ostendstr.

Zobelstr.

Börneplatz/
Stoltzestr.

Römer/
Paulskirche

Braubachstr.

Karmeliterkloster

Schumacher-Str.

Kurt-

Ostbahnhof/
Sonnemannstr.

11 Fechenheim

U5

Willy-Brandt-Platz

Bethmannstr.

Lange Str.

Dom/Römer

Hospital zum
Hl. Geist

Weser-/
Münchener Str.11·12·14

U4·U5

Hbf

Eiserner Steg

Hbf/Münchener Str.

FRANKFURT
(Main) Hbf

Untermainbrücke

Alte Brücke

Ignatz-Bubis-Br.

Frankensteiner Platz

Flößerbrücke

S7·S6·S8·S9

U1·U2·U3·U8

Main

18

Dreieichstr.

Heister-/Seehofstraße

Baseler Platz

Holbeinsteg

Schweizer/Gartenstr.

Lokalbahnhof

S1·S2·S8·S9

Lokalbahnhof/Textorstr.

Otto-Hahn-Platz

12·16·17·21

Baseler Str.

Friedensbrücke

15·16

Gartenstr.

Schweizer
Platz

Schweizer Str.

Brücken-/
Textorstr.

(15)·16·18

Lokal-
bahnhof

Mühlberg

Offen-

bacher Landstr.

Schwanthaler Str.

15

Vogelweidstraße

12·15·21

Stresemannallee/
Gartenstraße

Südbahnhof/
Schweizer Str.

S5 S6

Südbahnhof

U1 U2 U3 U8

Lettigkautweg

(15)·16
Offenbach
Stadtgrenze

Universitätsklinikum

Stresemannallee

P.-Ehrlich-Str.

S3·S4

Schweizer Str./
Mörfelder Landstraße

Oppenheimer Landstraße

17

Mörfelder Landstraße

18

Stresemannallee

Breslauer Str.

Beuthener Str.

S3 S4

Stresemannallee/Mörfelder Landstraße

17 Neu-Isenburg, 18 Louisa

⊖ Haltestelle ohne Bahnsteig
Tram stop without platform

Stadtbahn (U-Bahn)
unterirdisch | *underground*

Straßenbahn | *Tram*
+ oberird. Stadtbahn (U5)
+ *surface Stadtbahn route (U5)*

S-Bahn

Sonstige Bahnstrecken
Other railways

500 m

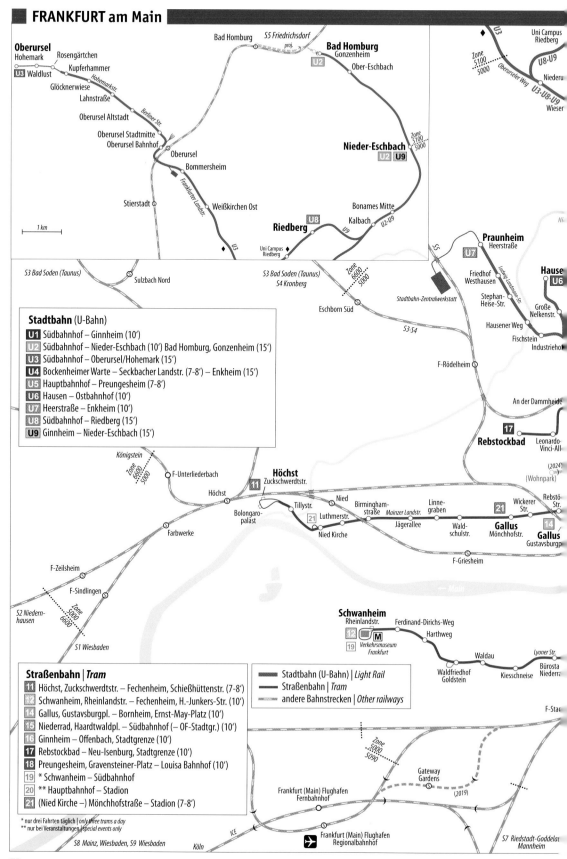

Oberursel
Hohemark
Rosengärtchen
U3 Waldlust
Kupferhammer
Hohemarkstr.
Glöcknerwiese
Lahnstraße
Oberursel Altstadt
Berliner Str.
Oberursel Stadtmitte
Oberursel Bahnhof
Oberursel
Bommersheim
Stierstadt
Frankfurter Landstr.
Weißkirchen Ost
U3
Riedberg
U8
Uni Campus
Riedberg

Bad Homburg
S5 Friedrichsdorf proj.
Bad Homburg
Gonzenheim
U2
Ober-Eschbach

Nieder-Eschbach
U2 U9

Bonames Mitte
Kalbach
U9
U2-U9

Uni Campus
Riedberg
U3
U8·U9
Niederu
Wieser
U3·U8·U9
Zone 5100 5000
Oberurseler Weg

Zone 5100 5000

1 km

S3 Bad Soden (Taunus)
Sulzbach Nord
S3 Bad Soden (Taunus)
S4 Kronberg
Zone 6600 5000
Eschborn Süd
Stadtbahn-Zentralwerkstatt
S3·S4

Praunheim
Heerstraße
U7
Friedhof
Westhausen
Stephan-
Heise-Str.
Hausener Weg
Fischstein
Industriehof

Hause
U6
Große
Nelkenstr.

F-Rödelheim

An der Dammheide

17
Rebstockbad
Leonardo-
Vinci-All

Stadtbahn (U-Bahn)
- **U1** Südbahnhof – Ginnheim (10')
- **U2** Südbahnhof – Nieder-Eschbach (10') Bad Homburg, Gonzenheim (15')
- **U3** Südbahnhof – Oberursel/Hohemark (15')
- **U4** Bockenheimer Warte – Seckbacher Landstr. (7-8') – Enkheim (15')
- **U5** Hauptbahnhof – Preungesheim (7-8')
- **U6** Hausen – Ostbahnhof (10')
- **U7** Heerstraße – Enkheim (10')
- **U8** Südbahnhof – Riedberg (15')
- **U9** Ginnheim – Nieder-Eschbach (15')

Königstein
Zone 6600 5000
F-Unterliederbach
Höchst
Bolongaro-
palast
Farbwerke

Höchst
Zuckschwerdtstr.
11
Tillystr.
Luthmerstr.
Nied Kirche
21
Nied
Birmingham-
straße
Mainzer Landstr.
Jägerallee
Linne-
graben
Wald-
schulstr.
21
Wickerer
Str.
Gallus
Mönchhofstr.
(2024)
(Wohnpark)
Rebstö-
Str.
14
Gallus
Gustavsburgp

F-Zeilsheim
F-Sindlingen
S2 Niedern-
hausen
Zone 5000 6600
S1 Wiesbaden

F-Griesheim

— Main —

Schwanheim
Rheinlandstr.
12
M
19
Verkehrsmuseum
Frankfurt
Ferdinand-Dirichs-Weg
Harthweg
Waldau
Lyoner Str.
Büros ta
Niederra
Waldfriedhof
Goldstein
Kiesschneise

F-Stad

Straßenbahn | *Tram*
- **11** Höchst, Zuckschwerdtstr. – Fechenheim, Schießhüttenstr. (7-8')
- **12** Schwanheim, Rheinlandstr. – Fechenheim, H.-Junkers-Str. (10')
- **14** Gallus, Gustavsburgpl. – Bornheim, Ernst-May-Platz (10')
- **15** Niederrad, Haardtwaldpl. – Südbahnhof (– OF-Stadtgr.) (10')
- **16** Ginnheim – Offenbach, Stadtgrenze (10')
- **17** Rebstockbad – Neu-Isenburg, Stadtgrenze (10')
- **18** Preungesheim, Gravensteiner-Platz – Louisa Bahnhof (10')
- **19** * Schwanheim – Südbahnhof
- **20** ** Hauptbahnhof – Stadion
- **21** (Nied Kirche –) Mönchhofstraße – Stadion (7-8')

▬▬▬ Stadtbahn (U-Bahn) | *Light Rail*
▬▬▬ Straßenbahn | *Tram*
╌╌╌ andere Bahnstrecken | *Other railways*

Zone 5000 5090
Gateway
Gardens
(2019)
Frankfurt (Main) Flughafen
Fernbahnhof
✈ Frankfurt (Main) Flughafen
Regionalbahnhof
S7 Riedstadt-Goddelau
Mannheim

ICE
Köln

S8 Mainz, Wiesbaden, S9 Wiesbaden

* nur drei Fahrten täglich | *only three trams a day*
** nur bei Veranstaltungen | *special events only*

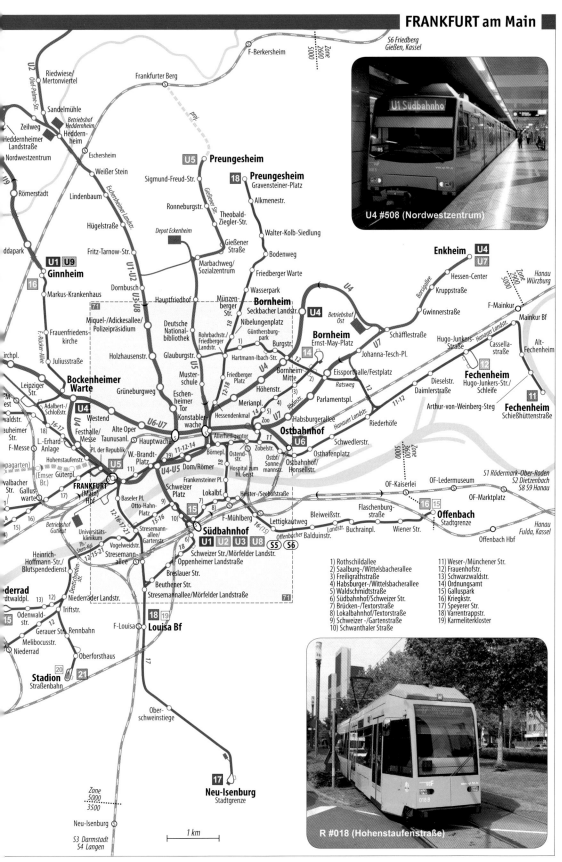

U4 #508 (Nordwestzentrum)

R #018 (Hohenstaufenstraße)

GT6M #302 (Dresdener Straße > Heinrich-Hildebrand-Straße)

KT4D #223 & #209 (Kopernikusstraße)

Frankfurt (Oder) (Brandenburg)

58 000 (148 km²)

1898

1000 mm

19.5 km

4 (+1)

SVF (Stadtverkehrsgesell-
schaft mbH Frankfurt (Oder))
www.svf-ffo.de

VBB (Verkehrsverbund
Berlin-Brandenburg)
www.vbb.de

3.60 € (Zone Frankfurt (Oder) AB

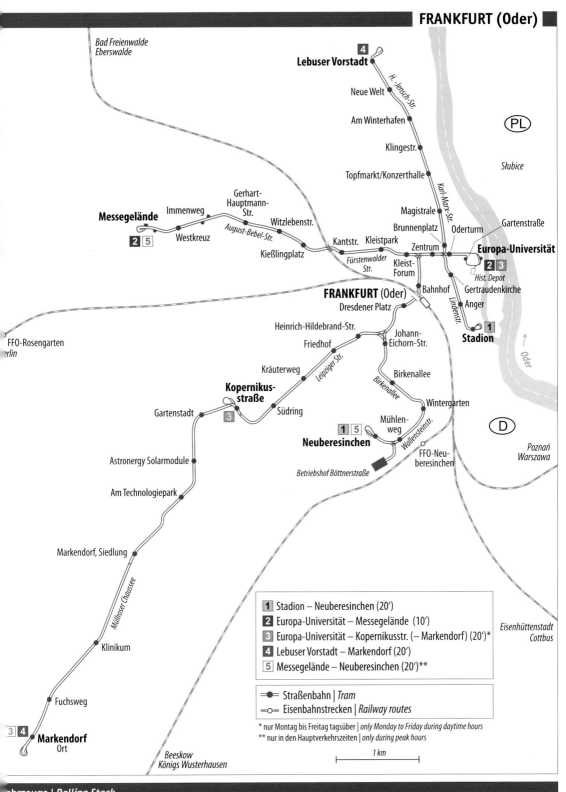

Bad Freienwalde
Eberswalde

Lebuser Vorstadt [4]

Neue Welt

Am Winterhafen

Klingestr.

Topfmarkt/Konzerthalle

H.-Jensch-Str.

PL

Słubice

Gerhart-
Hauptmann-
Str.

Messegelände Immenweg

Magistrale

Gartenstraße

Brunnenplatz Oderturm

[2] [5]

Westkreuz

Witzlebenstr.

August-Bebel-Str.

Kantstr. Kleistpark

Kießlingplatz

Zentrum

Karl-Marx-Str.

Europa-Universität

[2] [3]

Fürstenwalder
Str.

Kleist-
Forum

Hist. Depot

Gertraudenkirche

Bahnhof

Lindenstr.

Anger

FRANKFURT (Oder)

Dresdener Platz

FFO-Rosengarten
Berlin

Heinrich-Hildebrand-Str.

Friedhof

Johann-
Eichorn-Str.

[1]

Stadion

Kräuterweg

Birkenallee

**Kopernikus-
straße**

Leipziger Str.

Birkenallee

Wintergarten

Gartenstadt

[3]

Südring

Mühlen-
weg

Astronergy Solarmodule

[1] [5]

Neuberesinchen

Wallensteinstr.

FFO-Neu-
beresinchen

Am Technologiepark

Betriebshof Böttnerstraße

Oder

D

Poznań
Warszawa

Markendorf, Siedlung

Müllroser Chaussee

Klinikum

Eisenhüttenstadt
Cottbus

Fuchsweg

[3] [4]

Markendorf
Ort

Beeskow
Königs Wusterhausen

[1]	Stadion – Neuberesinchen (20')
[2]	Europa-Universität – Messegelände (10')
[3]	Europa-Universität – Kopernikusstr. (– Markendorf) (20')*
[4]	Lebuser Vorstadt – Markendorf (20')
[5]	Messegelände – Neuberesinchen (20')**

Straßenbahn | Tram
Eisenbahnstrecken | Railway routes

* nur Montag bis Freitag tagsüber | only Monday to Friday during daytime hours
** nur in den Hauptverkehrszeiten | only during peak hours

|———— 1 km ————|

Fahrzeuge | Rolling Stock

Nummer Number	Anzahl Quantity	Hersteller Manufacturer	Typ Class	Länge Length	Breite Width	Ausgeliefert Delivered
05...229	17	ČKD Tatra	KT4D =>	19.2 m	2.20 m	1987-1990
01-308	8	AEG/Adtranz	GT6M =>	27.3 m	2.30 m	1993-1994

Urbos #308 (Stadttheater)

Combino #285 (Hauptbahnhof)

GT8 N #231 (VAG-Zentrum)

FREIBURG
(Breisgau) Hbf

Europaplatz

Fahnenbergplatz

Friedrichring

Habsburgerstr.

1·2·3·4

Rotteckring

Bertoldstr.

Altstadt

Hauptbahnhof

Bertoldstr.

Stadttheater

Platz der Universität

Münster Cathedral

Bertoldsbrunnen

1·2·3·4

Salzstr.

Old Town

Oberlinden

Kaiser-Joseph-Str.

Erbprinzenstraße

Werthmannstr.

Dreisam

Kaiser-Joseph-Str.

Holzmarkt

Schwabentorbrücke

Mattenstraße

Johanneskirche

Kronenstr.

Günterstalstr.

3

Basler Str.

Reiterstraße

Haltestelle ohne Bahnsteig
Tram stop without platform

An manchen Haltestellen kein stufenloser Einstieg
At some stops, no stepfree boarding!

500 m

Map labels (tram/railway network):

Breisach · Landwasser · Moosweiher · FR-West/Landwasser · Diakonie-krankenhaus · Ebäser Str. · Moosgrund · Paduaallee · Paduaallee · Betzenhauser Torplatz · Sundgauallee · Am Bischofskreuz · Rieselfeld · Bollerstaudenstr. · Maria-von-Rudloff-Platz · Rieselfeldallee · Geschwister-Scholl-Platz · Betriebshof West · VAG-Zentrum · Haid · Munzinger Str. · Rohrgraben · Binzengrün · Bugginger Straße · Am Lindenwäldle · Opfinger Str. · Krozinger Straße · Besançonallee · Dorfbrunnen · Haslach Bad · Pressehaus · Carl-Kistner-Str. · Scherrerplatz · Mechtar Str. · FR-St. Georgen · Vauban-Mitte · Vauban · Innsbrucker Straße · Vaubanallee · Paula-Modersohn-Platz · Peter-Thumb-Straße · Wonnhalde · Schauinslandstr. · Wiesenweg · Klosterplatz · Günterstal · Dorfstraße · Holbeinstraße · FR-Wiehre · Lorettostraße · Günterstalstr. · Weddigenstraße · Heinrich-von-Stephan-Str. · Betriebshof Süd · Reiterstr. · Mattenstr. · Erbprinzenstr. · Stadttheater · Hauptbahnhof · Eschholzstraße · Rathaus im Stühlinger · Bissierstraße · Runzmatten-weg · Berliner Allee · Killianstr. · FR-Klinikum · R.-Koch-Str. · Friedrich-Ebert-Platz · Fahnen-bergpl. · FREIBURG (Breisgau) Hbf · Friedrich-Ebert-Platz · Johannes-kirche · Maria-Hilf-Kirche · Alter Messplatz · Holzmarkt · Oberlinden · Bertoldsbrunnen · Europaplatz · Schlossbergbahn · Schwabentorbrücke · Brauerei Ganter · Schwarzwaldstr. · Musikhochschule · Hasemannstr. · Römerhof · Emil-Gött-Straße · Hansjakobstr. · Littenweiler · Lassbergstr. · FR-Littenweiler · Titisee Seebrugg · Elsässer Str. · Berliner Allee · Rennweg · Komturstr. · FR-Neue Messe/Universität · FR-Technische Fakultät · Messe · Stadion · Eichstetter Str. · Okenstraße · Komturplatz · Haupt-friedhof · FR-Herdern · Hauptstraße · Tennenbacher Straße · Habsburgerstr. · Messe (10/2020) · Hornusstraße · Tullastraße · Reutebachgasse · Berggasse · Glottertalstr. · FR-Zähringen · Zähringer Str. · Zähringen · Gundelfinger Str. · Offenburg Karlsruhe Elzach · Dreisam · Breisach

Line legend:

1	Landwasser – Littenweiler (6′)
2	Hornusstraße – Günterstal (10′)
3	Haid – Vauban (7-8′)
4	Zähringen – Messe (7-8′)
5	Rieselfeld – Europaplatz (7-8′)

   Straßenbahn | *Tram*

   Eisenbahn | *Railways*

8D #264 (Rathaus im Stühlinger)

Freiburg im Breisgau
(Baden-Württemberg)

230 000 (153 km²)

el. 1901

34.8 km (+1.0 km)

5

1000 mm

VAG (Freiburger Verkehrs AG)
www.vag-freiburg.de

RVF (Regio-Verkehrsverbund Freiburg)
www.rvf.de

24 h   6.40 €

Fahrzeuge | *Rolling Stock*

Nummer Number	Anzahl Quantity	Hersteller Manufacturer	Typ Class	Länge Length	Breite Width	Ausgeliefert Delivered
...214	5	Duewag	GT8 K =>	33.3 m	2.33 m	1981-1982
...231	11	Duewag	GT8 N =>	33.3 m	2.33 m	1990
...266	26	Duewag	GT8D-MN-Z <=>	33.1 m	2.30 m	1993-1994
...279, 281-290	18	Siemens	NF8 *Combino* <=>	42.0 m	2.30 m	1999-2000, 2004-2006
...312	12 (+5)	CAF	Urbos 100 <=>	42.0 m	2.30 m	2015-2017 (*2020*)

1 km

NGT8G #208 & 201 (Heinrichstraße)

NGT8G #204 (Keplerstraße)

Fahrzeuge | Rolling Stock

Nummer Number	Anzahl Quantity	Hersteller Manufacturer	Typ Class	Länge Length	Breite Width	Ausgeliefert Delivered
303...363	22	ČKD Tatra	KT4D =>	19.0 m	2.20 m	1981-83, 1990
348-353	6	ČKD Tatra	KTNF8 (Niederflurmittelteil | low-floor centre section) =>	26.5 m	2.20 m	1990
201-212	12	Alstom LHB	NGT8G =>	27.7 m	2.40 m	2006-2008

Tatra KT4D #302 (Postplatz)   Foto Bodo Schul.

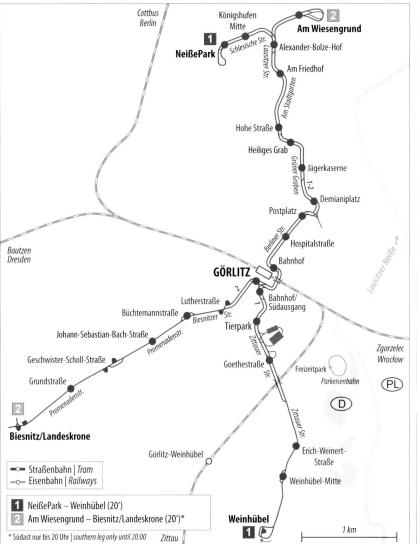

Cottbus
Berlin

Königshufen
Mitte

2 Am Wiesengrund

1
NeißePark
Schlesische Str.
Lausitzer Str.

Alexander-Bolze-Hof

Am Friedhof

Am Stadtgarten

Hohe Straße

Heiliges Grab
Grüner Graben

Jägerkaserne

1·2

Demianiplatz

Postplatz
Berliner Str.

Hospitalstraße

Bahnhof

GÖRLITZ

Bautzen
Dresden

2

Lutherstraße
Büchtemannstraße
Biesnitzer Str.

Bahnhof/
Südausgang

Johann-Sebastian-Bach-Straße
Promenadenstr.

Tierpark
Zittauer Str.

Geschwister-Scholl-Straße

Goethestraße Str.

Freizeitpark

Zgorzelec
Wrocław

Grundstraße

Parkeisenbahn

(PL)

Promenadenstr.

(D)

2
Biesnitz/Landeskrone

Görlitz-Weinhübel

Erich-Weinert-
Straße

Weinhübel-Mitte

━●━ Straßenbahn | *Tram*
━○━ Eisenbahn | *Railways*

1 NeißePark – Weinhübel (20′)
2 Am Wiesengrund – Biesnitz/Landeskrone (20′)*

* Südast nur bis 20 Uhr | *southern leg only until 20:00*   Zittau

Weinhübel
1

1 km

Lausitzer Neiße

Görlitz (Sachsen)

56 500 (67 km²)

el. 1897

1000 mm

km 10.7 km

2

GVB
(Görlitzer Verkehrs-
betriebe GmbH)
www.goerlitztakt.de

€ ZVON (Zweckverbar
Verkehrsverbund
Oberlausitz-
Niederschlesien)
www.zvon.de

Day
Pass 3.50 €

#316 (Biesnit

Fahrzeuge | *Rolling Stock*

Nummer / Number	Anzahl / Quantity	Hersteller / Manufacturer	Typ / Class	Länge / Length	Breite / Width	Ausgeliefert / Delivered
301...319	16	ČKD Tatra	KT4D =>	19.0 m	2.20 m	1979-1990 (ex Erfurt, Cottbus)

Gotha (Thüringen)

🚋 45 600 (69.5 km²)

⚡ 1894

📏 1000 mm

🛤 7.5 km
+ 18.2 km
(Thüringerwaldbahn L4+L6)

🔀 4 (+1)

🏢 Thüringerwaldbahn und
Straßenbahn Gotha
www.waldbahn-gotha.de

💶 VMT (Verkehrsverbund
Mittelthüringen)
www.vmt-thueringen.de

🎫 3.40 € (Zone 700 = Gotha)
7.60 € > Bad Tabarz

1 Hauptbahnhof – Krankenhaus (10-20')
2 Hauptbahnhof – Ostbahnhof (20')
4 Hauptbahnhof – Bad Tabarz (30')
6 Waltershausen Gleisdreieck – Waltershausen Bf (30-60')

Einzelne Fahrten Wagenhalle – Ostbahnhof als Linie 3
A few trams labelled line 3 operate Wagenhalle – Ostbahnhof

500 m

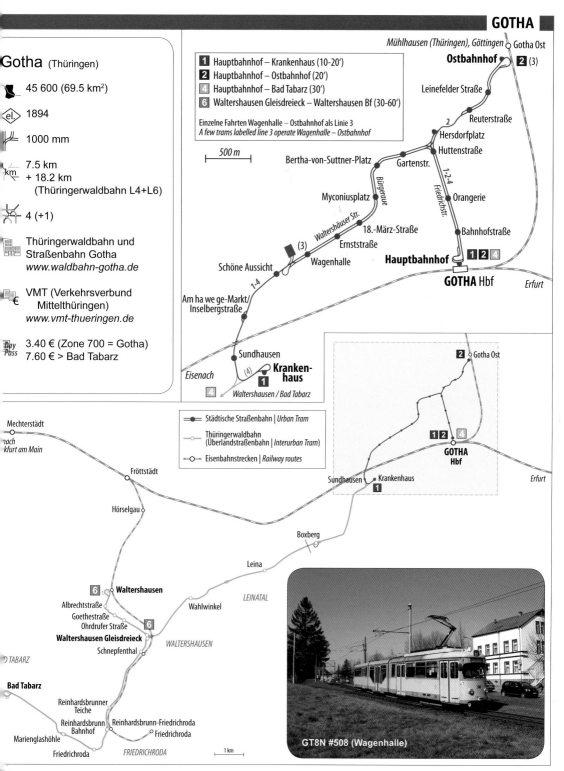

Mühlhausen (Thüringen), Göttingen — Gotha Ost
Ostbahnhof — **2** (3)
Leinefelder Straße
Reuterstraße
Hersdorfplatz
Huttenstraße
Gartenstr.
Bertha-von-Suttner-Platz
Bürgeraue
Myconiusplatz
Orangerie
Waltershäuser Str.
18.-März-Straße
Ernstraße
Bahnhofstraße
Schöne Aussicht
Wagenhalle
Hauptbahnhof **1 2 4**
GOTHA Hbf — Erfurt
Am ha we ge-Markt/
Inselbergstraße
Sundhausen
Eisenach
(4) — **Kranken-haus** **1**
4 Waltershausen / Bad Tabarz

2 Gotha Ost
1 2 **4** **GOTHA** Hbf
Sundhausen — Krankenhaus **1**
Erfurt

Städtische Straßenbahn | *Urban Tram*
Thüringerwaldbahn
(Überlandstraßenbahn | *Interurban Tram*)
Eisenbahnstrecken | *Railway routes*

Mechterstädt
nach
kfurt am Main
Fröttstädt
Hörselgau
Boxberg
Leina
6 **Waltershausen**
LEINATAL
Albrechtstraße
Wahlwinkel
Goethestraße
Ohrdrufer Straße **6**
Waltershausen Gleisdreieck
Schnepfenthal
WALTERSHAUSEN
TABARZ
Bad Tabarz
Reinhardsbrunner
Teiche
Reinhardsbrunn
Bahnhof
Reinhardsbrunn-Friedrichroda
Marienglashöhle
Friedrichroda
Friedrichroda
FRIEDRICHRODA
1 km

GT8N #508 (Wagenhalle)

hrzeuge | *Rolling Stock*

nmer nber	Anzahl Quantity	Hersteller Manufacturer	Typ Class	Länge Length	Breite Width	Ausgeliefert Delivered
, 508, 521	3	Duewag	GT8N (ex Mannheim-Ludwigshafen) =>	25.4 m	2.20 m	1962-1964
...319	17	ČKD	Tatra KT4DM, KT4D, KT4DC, KT4D-Z (ex Erfurt) =>	19.0 m	2.20 m	1981-1990
4...252)*	6	Schindler	Be 4/8 (ex Basel BLT)	26.2 m	2.20 m	1978-81 (2018)

h nicht im Einsatz | *not yet in service*

Leoliner #1 (Gröperstraße/Dominikanerstraße)   Foto Bodo Schu...

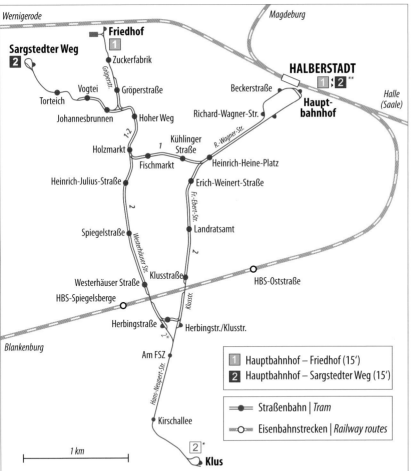

Wernigerode
Magdeburg
Friedhof
1
Sargstedter Weg
2
Zuckerfabrik
Vogtei Gröperstraße
Torteich
Johannesbrunnen Hoher Weg
Holzmarkt
Kühlinger Straße
Fischmarkt
Heinrich-Julius-Straße
Spiegelstraße
Westerhäuser Straße Klusstraße
HBS-Spiegelberge
Herbingstraße Herbingstr./Klusstr.
Blankenburg
Am FSZ
Kirschallee
2*
Klus
1 km

Beckerstraße
Richard-Wagner-Str.
Heinrich-Heine-Platz
Erich-Weinert-Straße
Landratsamt
HBS-Oststraße
HALBERSTADT
1 2 **
Hauptbahnhof
Halle (Saale)

1 Hauptbahnhof – Friedhof (15′)
2 Hauptbahnhof – Sargstedter Weg (15′)

●━━● Straßenbahn | Tram
○━━○ Eisenbahnstrecken | Railway routes

Halberstadt
(Sachsen-Anhalt)

 41 000 (143 km²)

el. 1903

1000 mm

km 7.4 km
(+ 1.4 km – Klus*)

2

HVG
(Halberstädter
Verkehrs-GmbH)
www.stadtverkehr-
halberstadt.de

Verkehrs- und
Tarifgemeinschaft
Ostharz (VTO)
www.hvb-harz.de

Day Pass 3.00 €

* Der Ast zur Klus wird nur am
Wochenende und nur in Fahrtric...
tung Hauptbahnhof bedient.
** The Klus branch is only served
weekends, and only in the direc...
of Hauptbahnhof.*

** Die Züge der Linie 1 fahren a...
Hauptbahnhof als Linie 2 weiter
und umgekehrt.
*** At Hauptbahnhof, line 1 trai...
continue as line 2, and vicevers...*

Fahrzeuge | Rolling Stock

Nummer Number	Anzahl Quantity	Hersteller Manufacturer	Typ Class	Länge Length	Breite Width	Ausgeliefert Delivered
156, 164, 167, 168	4	Maschinenfabrik Esslingen	GT4 (ex Freiburg, Stuttgart) =>	18.8 m	2.20 m	1960-1966
1-5	5	Leipziger Fahrzeugbau	NGTW6-H *Leoliner* =>	22.0 m	2.30 m	2006-2007

Flexity #699+700 (Südstadt, Veszpremer Straße)

Halle (Saale) (Sachsen-Anhalt)

240 000 (135 km²)

~ 300 000

1891

1000 mm

53 km + 21.6 km (Ammendorf –
Bad Dürrenberg / Merseburg Süd)

11 (+2)

HAVAG
(Hallesche Verkehrs-AG)
www.havag.de

MDV
(Mitteldeutscher Verkehrsverbund)
www.mdv.de

5.60 € (Zone 210 = Halle)
8.20 € (+ Zone 233)

Tatra #1201 (Rannischer Platz)

MGT6D #605 (Neustadt S-Bhf)

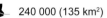

hrzeuge | *Rolling Stock*

mmer nber	Anzahl *Quantity*	Hersteller *Manufacturer*	Typ *Class*	Länge *Length*	Breite *Width*	Ausgeliefert *Delivered*
56...1201	5	ČKD Tatra	T4D-C =>	15.2 m	2.20 m	1982-1986
5, 204, 222	3	ČKD Tatra	B4D-C (Beiwagen | *trailer*)		2.20 m	1981-1986
1-660	60	Duewag/Siemens	MGT6D <=>	29.9 m	2.30 m	1996-2001
1-702	42	Bombardier	MGTK *Flexity Classic* =>*	21.1 m	2.30 m	2004-2005, 2013

n beidseitig, in der Regel als Doppeltraktion Heck and Heck gekuppelt | *doors on both sides, normally operating as double units coupled rear to rear.*

HALLE (Saale)

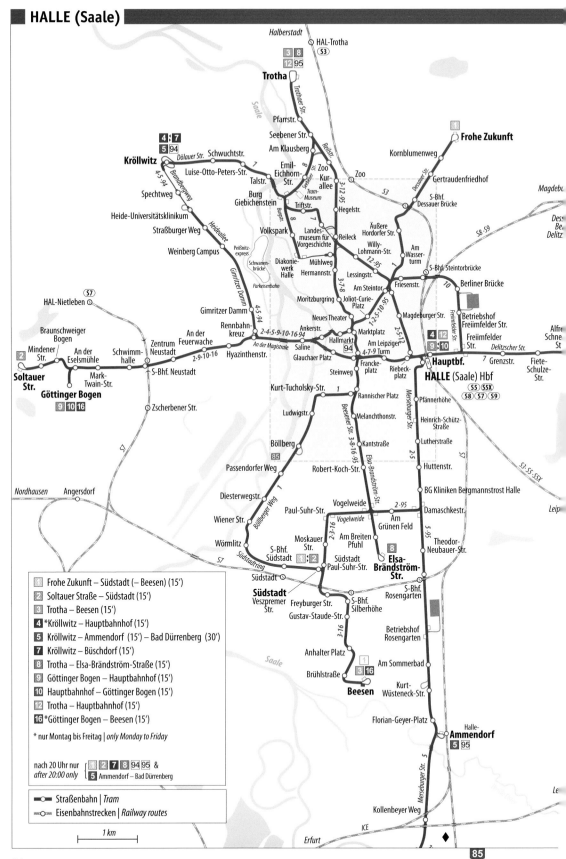

Frohe Zukunft – Südstadt (– Beesen) (15′)
Soltauer Straße – Südstadt (15′)
Trotha – Beesen (15′)
*Kröllwitz – Hauptbahnhof (15′)
Kröllwitz – Ammendorf (15′) – Bad Dürrenberg (30′)
Kröllwitz – Büschdorf (15′)
Trotha – Elsa-Brändström-Straße (15′)
Göttinger Bogen – Hauptbahnhof (15′)
Hauptbahnhof – Göttinger Bogen (15′)
Trotha – Hauptbahnhof (15′)
*Göttinger Bogen – Beesen (15′)

* nur Montag bis Freitag | only Monday to Friday

nach 20 Uhr nur | after 20:00 only

Straßenbahn | Tram
Eisenbahnstrecken | Railway routes

1 km

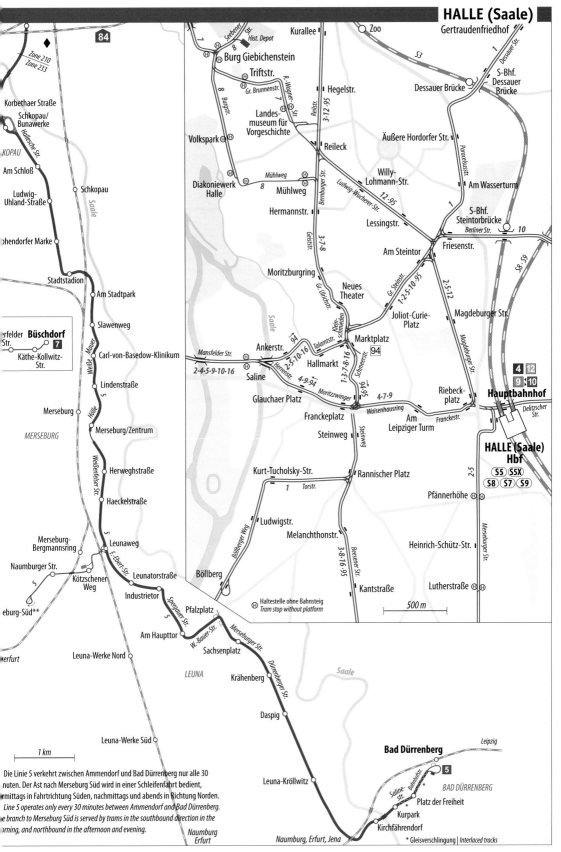

Seebener Str.

Hist. Depot

Kurallee

Zoo

Gertraudenfriedhof

84

♦ Zone 210 / Zone 233

Burg Giebichenstein

Triftstr.

Hegelstr.

Dessauer Brücke

S-Bhf. Dessauer Brücke

Dessauer Str.

S3

Korbethaer Straße

Schkopau/ Bunawerke

KOPAU

Am Schloß

Schkopau

Ludwig-Uhland-Straße

Landes-museum für Vorgeschichte

Volkspark

Reileck

Äußere Hordorfer Str.

Paracelsusstr.

Willy-Lohmann-Str.

Am Wasserturm

Diakoniewerk Halle

Mühlweg

Mühlweg

Hermannstr.

Lessingstr.

12·95

S-Bhf. Steintorbrücke

Berliner Str.

10

ohendorfer Marke

Stadtstadion

Am Steintor

Friesenstr.

Saale

Am Stadtpark

Moritzburgring

Neues Theater

Joliot-Curie-Platz

Magdeburger Str.

S8·S9

erfelder Büschdorf 7
Str.

Käthe-Kollwitz-Str.

Slawenweg

Carl-von-Basedow-Klinikum

Mansfelder Str.

Ankerstr.

Marktplatz

94

2·5·12

Lindenstraße

Hallmarkt

Saline

Glauchaer Platz

Moritzzwinger

Waisenhausring

Riebeck-platz

Hauptbahnhof

4 12
9:10

Delitzscher Str.

Merseburg

MERSEBURG

Merseburg/Zentrum

Franckeplatz

Am Leipziger Turm

Franckestr.

HALLE (Saale) Hbf

Herweghstraße

Steinweg

Steinweg

S5 S5X
S8 S7 S9

Haeckelstraße

Kurt-Tucholsky-Str.

Rannischer Platz

Pfännerhöhe

Torstr.

1

Merseburg-Bergmannsring

Leunaweg

Ludwigstr.

Melanchthonstr.

Heinrich-Schütz-Str.

Naumburger Str.

Kötzschener Weg

Leunatorstraße

3·8·16·95

2·5

Böllberger Weg

Beesener Str.

eburg-Süd**

Industrietor

Pfalzplatz

Böllberg

Kantstraße

Lutherstraße

Haltestelle ohne Bahnsteig
Tram stop without platform

500 m

erfurt

Am Haupttor

Sachsenplatz

W-Bauer-Str.

Merseburger Str.

Leuna-Werke Nord

LEUNA

Krähenberg

Dürrenberger Str.

Saale

Daspig

1 km

Leuna-Werke Süd

Bad Dürrenberg

Leipzig

5

BAD DÜRRENBERG

Die Linie 5 verkehrt zwischen Ammendorf und Bad Dürrenberg nur alle 30
nuten. Der Ast nach Merseburg Süd wird in einer Schleifenfahrt bedient,
rmittags in Fahrtrichtung Süden, nachmittags und abends in Richtung Norden.
Line 5 operates only every 30 minutes between Ammendorf and Bad Dürrenberg.
e branch to Merseburg Süd is served by trams in the southbound direction in the
orning, and northbound in the afternoon and evening.

Leuna-Kröllwitz

Saline-str.

Bahnhofstr.

Platz der Freiheit

Kurpark

Kirchfährendorf

Naumburg
Erfurt

Naumburg, Erfurt, Jena

* Gleisverschlingung | Interlaced tracks

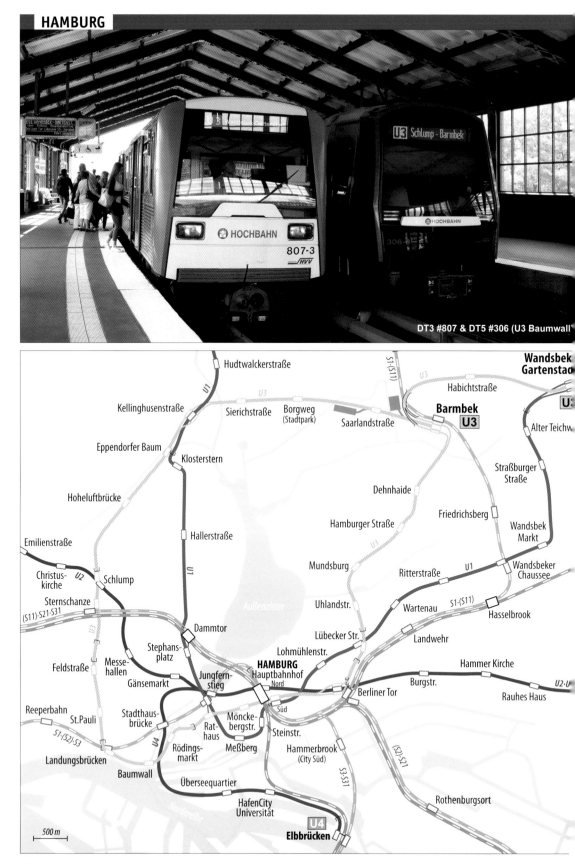

DT3 #807 & DT5 #306 (U3 Baumwall)

Hudtwalckerstraße

Wandsbek
Gartenstad

S1·(S11)

U3

U1

Kellinghusenstraße

Sierichstraße

Borgweg
(Stadtpark)

Saarlandstraße

Habichtstraße

Barmbek
U3

Alter Teichw

U:

Eppendorfer Baum

Klosterstern

Straßburger
Straße

Hoheluftbrücke

Dehnhaide

Friedrichsberg

Wandsbek
Markt

Hamburger Straße

Hallerstraße

U1

Emilienstraße

Mundsburg

Ritterstraße

U1

Wandsbeker
Chaussee

Christus-
kirche

U2

Schlump

Uhlandstr.

Wartenau

S1·(S11)

Hasselbrook

Sternschanze

(S11)·S21·S31

U3

Dammtor

Lübecker Str.

Landwehr

Hammer Kirche

Stephans-
platz

Lohmühlenstr.

Feldstraße

Messe-
hallen

Gänsemarkt

Jungfern-
stieg

HAMBURG
Hauptbahnhof
Nord

Burgstr.

U2·U

Berliner Tor

Rauhes Haus

Reeperbahn

St.Pauli

S1·(S2)·S3

Stadthaus-
brücke

U4

Rödings-
markt

Rat-
haus

Möncke-
bergstr.

Süd

Steinstr.

Meßberg

Hammerbrook
(City Süd)

(S2)·S21

Landungsbrücken

Baumwall

Überseequartier

S3·S31

Rothenburgsort

HafenCity
Universität

U4
Elbbrücken

500 m

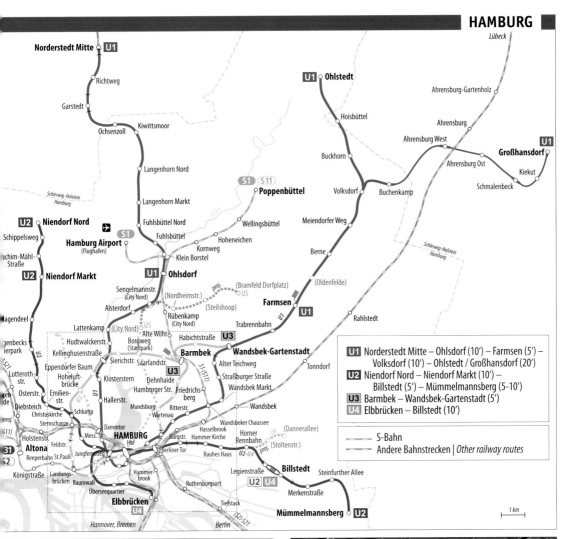

Norderstedt Mitte U1
Richtweg
Garstedt
Ochsenzoll
Kiwittsmoor
Langenhorn Nord
Langenhorn Markt
Fuhlsbüttel Nord
Hamburg Airport (Flughafen)
Fuhlsbüttel
Kornweg
Klein Borstel
Ohlsdorf U1

U2 Niendorf Nord
Schippelsweg
Joachim-Mähl-Straße
U2 Niendorf Markt
Sengelmannstr. (City Nord)
Alsterdorf
Lattenkamp (City Nord)
Hudtwalckerstr.
Kellinghusenstraße
Eppendorfer Baum
Hoheluftbrücke
Osterstr.
Emilienstr.
Christuskirche
Schlump

U1 Ohlstedt
Hoisbüttel
Buckhorn
Volksdorf
Buchenkamp
Meiendorfer Weg
Berne
(Oldenfelde)
Rahlstedt

Ahrensburg-Gartenholz
Ahrensburg
Ahrensburg West
Ahrensburg Ost
Schmalenbeck
Kiekut
Großhansdorf U1

S1 S11
Poppenbüttel
Wellingsbüttel
Hoheneichen

Rübenkamp (City Nord)
Alte Wöhr (Stadtpark)
Habichtstraße
Barmbek U3
Wandsbek-Gartenstadt
Trabrennbahn
Farmsen U1
(Bramfeld Dorfplatz)
(Nordheimstr.)
(Steilshoop)

Tonndorf
Alter Teichweg
Straßburger Straße
Wandsbek Markt

Sierichstr.
Saarlandstr.
Klosterstern
Hamburger Str.
Friedrichsberg
Hallerstr.
Mundsburg
Wartenau
Dammtor
HAMBURG Hbf
Sternschanze
Holstenstr.
Altona
Reeperbahn St.Pauli
Königstr.
Landungsbrücken
Baumwall
Überseequartier
Elbbrücken U4
Hannover, Bremen

Feldstr.
Mess.
Jungfernstieg
Berliner Tor
Burgstr.
Rauhes Haus
Hammerbrook
Rothenburgsort
Tiefstack
Berlin

Wandsbek
Ritterstr.
Wandsbeker Chaussee
Hasselbrook
Hammer Kirche
Horner Rennbahn
(Dannerallee)
(Stoltenstr.)
Legienstraße
Billstedt
Steinfurther Allee
Merkenstraße
Mümmelmannsburg U2

1 km

U1	Norderstedt Mitte – Ohlsdorf (10') – Farmsen (5') – Volksdorf (10') – Ohlstedt / Großhansdorf (20')
U2	Niendorf Nord – Niendorf Markt (10') – Billstedt (5') – Mümmelmannsberg (5-10')
U3	Barmbek – Wandsbek-Gartenstadt (5')
U4	Elbbrücken – Billstedt (10')

——— S-Bahn
——— Andere Bahnstrecken | *Other railway routes*

Hamburg (Hamburg)

 1 850 000 (755 km²)   ~ 3 000 000

el. 1912   1435 mm   km 106 km   4

HOCHBAHN (Hamburger Hochbahn AG)
www.hochbahn.de

HVV (Hamburger Verkehrsverbund)
www.hvv.de

 7.80 € (6.50 € ab 9 Uhr | *from 09:00*)
(Zone Hamburg AB incl. Großhansdorf & Norderstedt)

DT4 #166 (U2/U4 Hauptbahnhof Nord)

Fahrzeuge | *Rolling Stock*

Nummer Number	Anzahl Quantity	Hersteller Manufacturer	Typ Class	Länge Length	Breite Width	Ausgeliefert Delivered
803...910	~29	LHB/BBC/Kiepe	DT3 (3-Wagen-Einheiten | *3-car units*)	39.1 m	2.48 m	1968-1971
101-226	126	ABB/LHB	DT4 (4-Wagen-Einheiten | *4-car units*)	60.1 m	2.58 m	1988-2005
301-431	105/131	Alstom LHB/Bombardier	DT5 (3-Wagen-Einheiten | *3-car units*)	39.6 m	2.58 m	2010-2020

TW #3082 (Schaumburger Straße)

TW #6173

Hannover (Niedersachsen)

535 000 (204 km²)

~ 1 100 000

1893   1435 mm

118.5 km (+ 3.4 km i.B. | u/c)

12 (+2)

üstra
Hannoversche Verkehrsbetriebe AG
www.uestra.de

GVH (Großraum-Verkehr Hannover)
www.gvh.de

5.60 € (Hannover)
7.20 € (+ Garbsen, Laatzen, Langen-
hagen & Altwarmbüchen)
8.80 € (+ Sarstedt)

Fahrzeuge | Rolling Stock

Nummer Number	Anzahl Quantity	Hersteller Manufacturer	Typ Class	Länge Length	Breite Width	Ausgeliefert Delivered
6117...6260	~80	Duewag	TW 6000	28.3 m	2.40 m	1980-1992
2001-2006, 2008-2048	47	Alstom LHB	TW 2000	25.7 m	2.65 m	1997-1999
2501-2596	48 (x2)	Alstom LHB	TW 2500	49.5 m	2.65 m	1997-2000
3001-3253	121/153	Heiterblick/Alstom/Vossloh Kiepe	TW 3000	25.2 m	2.65 m	2013-

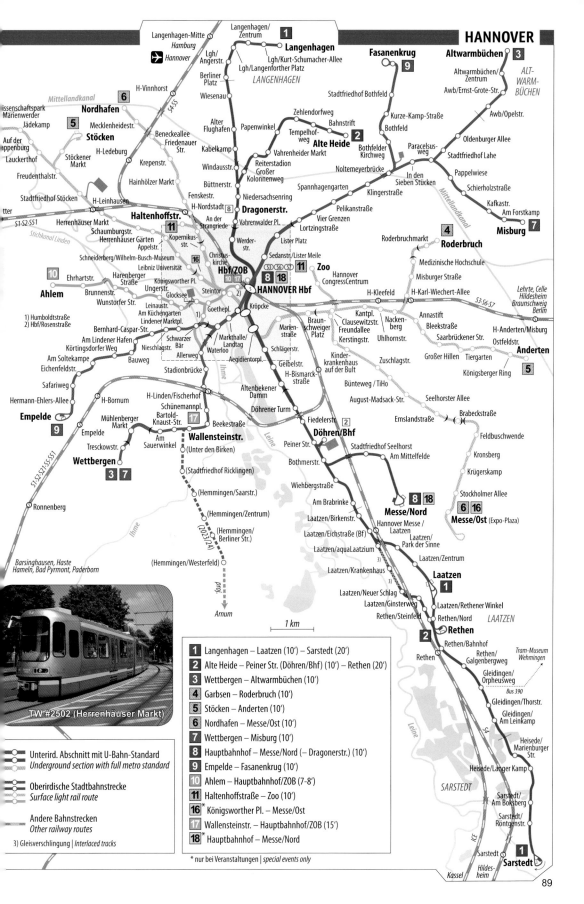

Tramino #702 (Burgaupark)

GT6M #625 (Lobeda-West)

Fahrzeuge | *Rolling Stock*

Nummer Number	Anzahl Quantity	Hersteller Manufacturer	Typ Class	Länge Length	Breite Width	Ausgeliefert Delivered
601-633	33	Adtranz/Bombardier	GT6M-ZR <=>	27.3 m	2.30 m	1995-1997, 2002-2003
701-705	5	Solaris	S109 *Tramino* <=>	29.3 m	2.30 m	2013

Jena (Thüringen)

111 000 (114 km²)

1901

1000 mm

23.5 km

5

Jenaer Nahverkehr GmbH
www.nahverkehr-jena.de

VMT (Verkehrsverbund
Mittelthüringen)
www.vmt-thueringen.de

5.40 € (Zone 30 = Jena)

T6M #612 (Ernst-Abbe-Platz)

Tramino #705 (Lobeda-West)

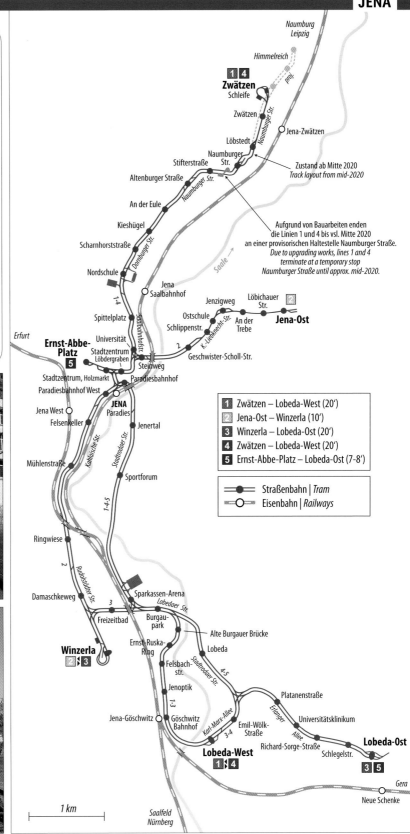

Aufgrund von Bauarbeiten enden
die Linien 1 und 4 bis vsl. Mitte 2020
an einer provisorischen Haltestelle Naumburger Straße.
*Due to upgrading works, lines 1 and 4
terminate at a temporary stop
Naumburger Straße until approx. mid-2020.*

Zustand ab Mitte 2020
Track layout from mid-2020

1	Zwätzen – Lobeda-West (20')
2	Jena-Ost – Winzerla (10')
3	Winzerla – Lobeda-Ost (20')
4	Zwätzen – Lobeda-West (20')
5	Ernst-Abbe-Platz – Lobeda-Ost (7-8')

Straßenbahn | *Tram*
Eisenbahn | *Railways*

Citylink #356 (Siemensallee/Lassallestraße)

GT6 #238 (Durlacher Tor)

GT8 #307 (Herrenstraße > Europaplatz)

Fahrzeuge | Rolling Stock

Nummer Number	Anzahl Quantity	Hersteller Manufacturer	Typ Class	Länge Length	Breite Width	Ausgeliefert Delivered
- Straßenbahn | *Tram*						
221-265	45	Duewag/Siemens	GT6-70-D/N* =>	29.7 m	2.65 m	1995-96, 2002-05
301-325	25	Duewag/Siemens	GT8-70-D/N* =>	39.7 m	2.65 m	1999-2000, 2003
326-400	75	Vossloh/Stadler Rail	NET 2012 *Citylink*** =>	37.2 m	2.65 m	2014-2019
- Stadtbahn | *Tram-train*						
502...520	~12	Waggon-Union Berlin	GT6-80C =>	27.6 m	2.65 m	1983-1984
551...589	~27	WU Berlin/Duewag	GT8-80C =>	37.4 m	2.65 m	1987-1991
801...836	32	Duewag	GT8-100C/2S*** <=>	37.6 m	2.65 m	1991-1995
837-922	86	Duewag	GT8-100D/2S-M*** <=>	37.6 m	2.65 m	1997-2005
923-984	42/62	Bombardier	ET 2010/2S* *Flexity Swift* <=>	37.0 m	2.65 m	2012-2022

* auch im Einsatz auf S2 | *also in service on line S2*; ** auch im Einsatz auf S1/S11 | *also in service on line S1/S11* *** 2-System-Fahrzeug | *dual-voltage veh*

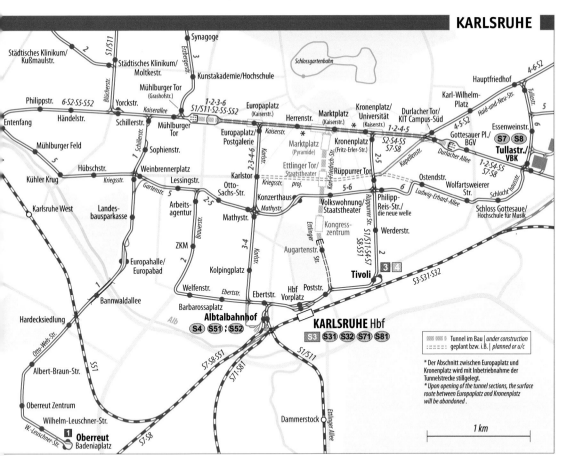

Städtisches Klinikum/Kußmaulstr. · Synagoge · Städtisches Klinikum/Moltkestr. · Kunstakademie/Hochschule · Schlossgartenbahn · Hauptfriedhof · Karl-Wilhelm-Platz · Philippstr. · Mühlburger Tor (Grashofstr.) · Europaplatz (Kaiserstr.) · Marktplatz (Kaiserstr.) · Kronenplatz/Universität (Kaiserstr.) · Durlacher Tor/KIT Campus-Süd · Essenweinstr. · Entenfang · Händelstr. · Schillerstr. · Mühlburger Tor · Europaplatz/Postgalerie · Herrenstr. · Kronenplatz (Fritz-Erler-Str.) · Gottesauer Pl./BGV · Tullastr./VBK · Mühlburger Feld · Sophienstr. · Marktplatz (Pyramide) · Rüppurrer Tor · Hübschstr. · Weinbrennerplatz · Lessingstr. · Karlstor · Ettlinger Tor/Staatstheater · Ostendstr. · Wolfartsweierer Str. · Kühler Krug · Otto-Sachs-Str. · Konzerthaus · Volkswohnung Staatstheater · Philipp-Reis-Str./die neue welle · Schloss Gottesaue/Hochschule für Musik · Karlsruhe West · Landesbausparkasse · Arbeitsagentur · Mathystr. · Werderstr. · ZKM · Kongresszentrum · Augartenstr. · Tivoli · Europahalle/Europabad · Kolpingplatz · Welfenstr. · Ebertstr. · Hbf Vorplatz · Poststr. · Bannwaldallee · Barbarossaplatz · Albtalbahnhof · KARLSRUHE Hbf · Hardecksiedlung · Albert-Braun-Str. · Oberreut Zentrum · Wilhelm-Leuschner-Str. · Dammerstock · Oberreut Badeniaplatz

S4 · S51 · S52 · S3 · S31 · S32 · S71 · S81 · S7 · S8

Tunnel im Bau | under construction
geplant bzw. i.B. | planned or u/c

* Der Abschnitt zwischen Europaplatz und Kronenplatz wird mit Inbetriebnahme der Tunnelstrecke stillgelegt.
* Upon opening of the tunnel sections, the surface route between Europaplatz and Kronenplatz will be abandoned.

1 km

Karlsruhe (Baden-Württemberg)

 312 000 (173 km²)   ~ 550 000

el. 1900   1435 mm

km ~76 km (städtisches Netz | urban network)*
+ ~ 519 km (Regio-Stadtbahn)**

Straßenbahn | Tram: 7 (+1) (VBK: 1-6, 8, S2)
Stadtbahn | Tram-train: 16 (AVG/DB)

VBK (Verkehrsbetriebe Karlsruhe GmbH)
www.vbk.info
AVG (Albtal-Verkehrs-Gesellschaft mbH)
www.avg.info

KVV (Karlsruher Verkehrsverbund)***
www.kvv.de

Day Pass
6.60 € (KA = Karlsruhe)
11.70 € (KA + KVV-Region)
18.60 € („RegioX" = KVV + VPE + VGF)
24.00 € („Baden-Württemberg-Ticket")

mit Stadtbahn-Abschnitten, auf denen tagsüber ein 10-Minuten-Takt angeboten wird
*including those tram-train sections with a basic daytime 10-minute headway
manche Abschnitte werden zusätzlich von RB- bzw. RE-Zügen der DB bedient
*some sections are additionally served by DB regional trains (RB/RE)
und benachbarte Verkehrsverbünde | and neighbouring areas

GT8 #581 & 807 (Albtalbahnhof)

GT8 #898 (Mühlburger Tor)

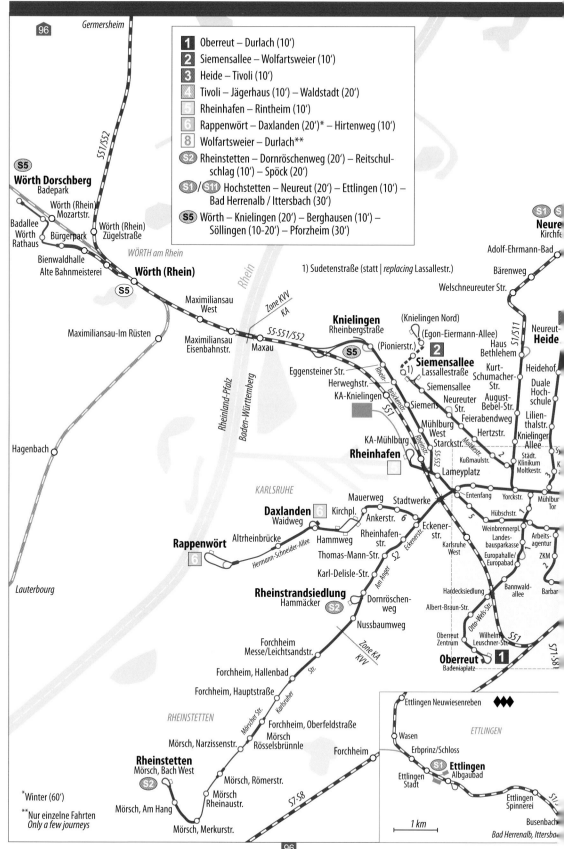

1 Oberreut – Durlach (10′)
2 Siemensallee – Wolfartsweier (10′)
3 Heide – Tivoli (10′)
4 Tivoli – Jägerhaus (10′) – Waldstadt (20′)
5 Rheinhafen – Rintheim (10′)
6 Rappenwört – Daxlanden (20′)* – Hirtenweg (10′)
8 Wolfartsweier – Durlach**
S2 Rheinstetten – Dornröschenweg (20′) – Reitschulschlag (10′) – Spöck (20′)
S1/**S11** Hochstetten – Neureut (20′) – Ettlingen (10′) –
Bad Herrenalb / Ittersbach (30′)
S5 Wörth – Knielingen (20′) – Berghausen (10′) –
Söllingen (10-20′) – Pforzheim (30′)

S5 Germersheim

S5 Wörth Dorschberg
Badepark

Wörth (Rhein)
Mozartstr.

Badallee
Wörth
Rathaus
Bürgerpark

Wörth (Rhein)
Zügelstraße

Bienwaldhalle
Alte Bahnmeisterei

Wörth (Rhein)

WÖRTH am Rhein

S5

Maximiliansau
West

Maximiliansau-Im Rüsten

Maximiliansau
Eisenbahnstr.
Maxau

Rhein

Zone KVV
KA

S5-S51/S52

Hagenbach

Lauterbourg

Rheinland-Pfalz
Baden-Württemberg

1) Sudetenstraße (statt | replacing Lassallestr.)

Eggensteiner Str.
Herweghstr.
KA-Knielingen

Knielingen
Rheinbergstraße

(Knielingen Nord)
(Egon-Eiermann-Allee)
(Pionierstr.)

S5

Rhein-
brücke
Rhein-
brückenstr.

Siemensallee

2

Haus
Bethlehem

1) Lassallestraße
Siemensallee
Neureuter
Str.

Siemens

Mühlburg
West
Starckstr.

KA-Mühlburg

Rheinhafen

Kuß-
maulstr.

Moltkestr.

Kurt-
Schumacher-
Str.
August-
Bebel-Str.
Feierabendweg
Hertzstr.

Städt.
Klinikum
Moltkestr.

Lameyplatz

Mauerweg
Stadtwerke

Entenfang

Yorckstr.

Mühlbur
Tor

KARLSRUHE

Daxlanden
Waidweg

6

Kirchpl.
Ankerstr.

Rheinhafen-
str.

Eckener-
str.

Hübschstr.

Weinbrennerpl.
Landes-
bausparkasse

Arbeits-
agentur

Rappenwört

6

Altrheinbrücke

Hermann-Schneider-Allee

Hammweg

Thomas-Mann-Str.

Karl-Delisle-Str.

Eckenerstr.

S2

Karlsruhe
West

Europahalle/
Europabad

ZKM

Rheinstrandsiedlung
Hammäcker

S2

Dornröschen-
weg

Nussbaumweg

Am Anger

Hardecksiedlung

Albert-Braun-Str.

Bannwald-
allee

Barbar

Forchheim
Messe/Leichtsandstr.

Zone KA
KVV

Oberreut
Zentrum

Otto-Wels-Str.

Wilhelm-
Leuschner-Str.

S51

S71-S

Forchheim, Hallenbad

Forchheim, Hauptstraße

Karlsruher Str.

Oberreut
Badeniaplatz

1

RHEINSTETTEN

Forchheim, Oberfeldstraße

Mörsch, Narzissenstr.

Mörsch
Rösselsbrünnle

Mörscher Str.

Forchheim

Rheinstetten
Mörsch, Bach West

S2

Mörsch, Römerstr.

Mörsch
Rheinaustr.

Mörsch, Am Hang

Mörsch, Merkurstr.

S7-S8

Ettlingen Neuwiesenreben
◆◆◆

Wasen

Erbprinz/Schloss

ETTLINGEN

S1 **Ettlingen**
Albgaubad

Ettlingen
Stadt

Ettlingen
Spinnerei

Busenbach

Bad Herrenalb, Ittersba

*Winter (60′)

**Nur einzelne Fahrten
Only a few journeys

1 km

S1 **S**
Neure
Kirchfe

Adolf-Ehrmann-Bad

Bärenweg

Welschneureuter Str.

S1/S11

Neureut-
Heide

Heidehof

Duale
Hoch-
schule

Lilien-
thalstr.

Knielinger
Allee

Leopoldshafen Viermorgen
Eggenstein Schweriner Str.
Eggenstein Spöcker Weg
Eggenstein Bf
Eggenstein Süd

96

EGGENSTEIN-LEOPOLDSHAFEN

STUTENSEE

Zone KVV KA

S2 **Blankenloch Nord**

Blanken-loch
Blankenloch, Mühlenweg
Blankenloch Kirche
Blankenloch, Tolna-Platz
Blankenloch Süd

Büchig
Zone KVV KA

4 **Waldstadt** Europäische Schule
Osteroder Str.
Elbinger Str. (Ost)
4 **Jägerhaus**
Waldstadt Zentrum
Glogauer Str.
Im Eichbäumle
Fächerbad
6 Sinsheimer Str.
Hirtenweg/ Technologiepark
5 **Rintheim**
Forststr.

Glogauer Str.
4
S2

S2 **Reitschulschlag**
Jenaer Str.
Geroldsäcker
KA-Hagsfeld
Hagsfeld Süd

KARLSRUHE

S3·S31·S32

Mannheim

Spöck Richard-Hecht-Schule
Friedrichstal Nord
S2 Spöck Hochhaus
Friedrichstal Mitte
Friedrichstal Saint-Riquier-Pl.
Friedrichstal

1 km

S1 **S11** Hochstetten Altenheim
Hochstetten
Hochstetten Grenzstr.
Linkenheim Schulzentrum
Linkenheim Rathaus
Linkenheim Friedrichstr.
Linkenheim Süd

LINKENHEIM-HOCH-STETTEN

nur einzelne Fahrten limited service

Leopoldshafen Frankfurter Str.
S1
Leopoldshafen Leopoldstr.
KIT Campus-Nord
Leopoldshafen Viermorgen

1 km

Bretten, Heilbronn

96

Zone KA KVV

S4

PFINZTAL

Schlossgartenbahn
Hauptfriedhof
Karl-Wilhelm-Platz
4·6·S2
Marktpl.
Kronenpl.
4·5·S2
Gottesauer Pl./BGV
Durlacher Tor
6
Weinweg
Durlacher
Dunantstr.
5
2·5
3 **4**
Volksw. Werder-str.
Tivoli
S3·S31·S32
Poststr.

KARLSRUHE Hbf
S3 **S31** **S32** **S71** **S81**

Dammerstock
Schloss Rüppurr
93
S1/S11
Ostendorfplatz
Tulpenstr.
Rüppurr Battstraße
Zone KA KVV

Ettlingen Neuwiesenreben

Hubstr.
S4·S5
Grötzingen
Grötzingen Oberausstr.
Hummelberg
Berghausen Pfinzbrücke
Grötzingen Krappmühlenweg
S5 **Berghausen**
Berghausen Am Stadion
S5
Söllingen Reetzstr.
S5 **Söllingen**
Pforzheim Stuttgart

Tullastr./VBK
S7 **S8**

1·2·S4·S5
KA-Durlach
Al.
Untermühlstr.
Gritzner-str.
Friedrich-schule
Killisfeldstr.
Ellmendinger Str.
Ostmark-str.
Schlesier Str. (West)
Steiermärker Str.
Zündhütle
2 **8** **Wolfartsweier Nord**

Auer Str./Dr. W. Schwabe
1 **8** **Durlach**
Turmberg
K.-Weysser-Str.
Turmberg-bahn
Schlossplatz

	Straßenbahn und Stadtbahn auf BOStrab-Strecken
	Tram & Light Rail on routes with tramway signalling
	Gleichstrom-Stadtbahn (750 V) als Eisenbahn (EBO)
	Light Rail route electrified at 750 V dc operated with mainline railway signalling
	Stadtbahn auf Eisenbahnstrecke unter 15 KV Wechselstrom
	Tram-train on mainline railway tracks electrified at 15 KV ac
	Andere Bahnstrecken
	Other railway routes

1 km

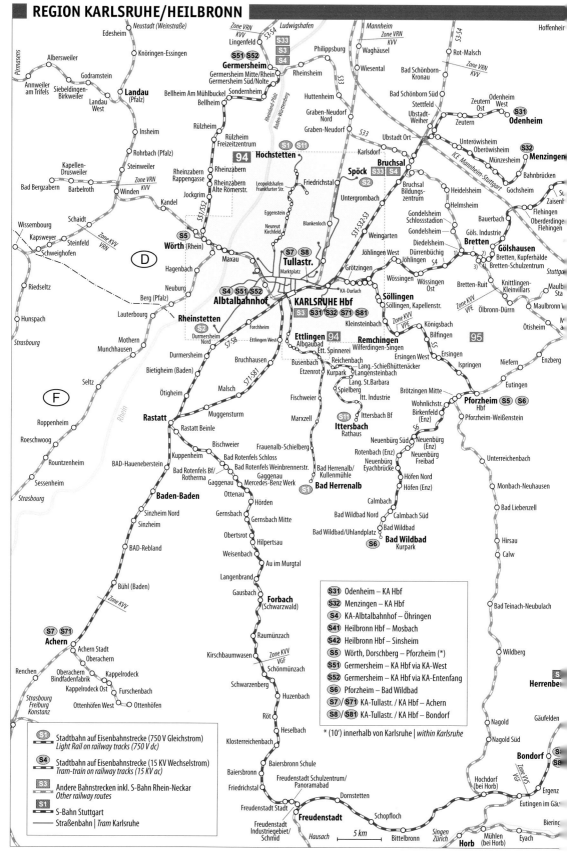

S31 Odenheim – KA Hbf
S32 Menzingen – KA Hbf
S4 KA-Albtalbahnhof – Öhringen
S41 Heilbronn Hbf – Mosbach
S42 Heilbronn Hbf – Sinsheim
S5 Wörth, Dorschberg – Pforzheim (*)
S51 Germersheim – KA Hbf via KA-West
S52 Germersheim – KA Hbf via KA-Entenfang
S6 Pforzheim – Bad Wildbad
S7/S71 KA-Tullastr. / KA Hbf – Achern
S8/S81 KA-Tullastr. / KA Hbf – Bondorf

* (10') innerhalb von Karlsruhe | within Karlsruhe

S1 Stadtbahn auf Eisenbahnstrecke (750 V Gleichstrom)
Light Rail on railway tracks (750 V dc)
S4 Stadtbahn auf Eisenbahnstrecke (15 KV Wechselstrom)
Tram-train on railway tracks (15 KV ac)
S3 Andere Bahnstrecken inkl. S-Bahn Rhein-Neckar
Other railway routes
S1 S-Bahn Stuttgart
Straßenbahn | Tram Karlsruhe

Heidelberg · Heidelberg · Bammental · Aglasterhausen S51 · Heidelberg · Osterburken · Roigheim · Osterburken Würzburg
Reilsheim · Mauer · Eschelbronn · Neidenstein · Mosbach-Neckarelz · Mosbach S41 S2 · Mosbach West
St. Ilgen-Sandhausen · Meckesheim · Waibstadt · Helmstadt (Baden) · Neckarzimmern · Möckmühl
Neckarbischofsheim Nord · Haßmersheim · Siglingen · Neudenau · Züttlingen
Wiesloch-Walldorf · Zuzenhausen · Hoffenheim · Sinsheim S42 · Sinsheim Museum/Arena · Zone VRN HNV · Gundelsheim (Neckar) · Herbolzheim (Jagst)
Malsch · Zone VRN KVV · Steinsfurt · Bad Rappenau Kurpark · Bad Rappenau · Babstadt · Bad Wimpfen-Hohenstadt · Offenau · Untergriesheim
Reihen · Grombach · Bad Wimpfen · Bad Friedrichshall · Schwäbisch Hall
Zeutern Ost · Odenheim West S31 · Odenheim · Ittlingen · Zone VRN HNV · Bad Wimpfen Im Tal · Bad Friedrichshall-Kochendorf · Öhringen Hbf S4
Richen · Gemmingen West · Schwaigern Ost · Neckarsulm Nord 97 · Neckarsulm Mitte · Öhringen West · Öhringen-Cappel
Wateröwisheim · Oberöwisheim · Menzingen S32 · Eppingen West · Gemmingen · Schwaigern West · Leingarten West · Böckingen West · Neckarsulm · Neckarsulm Süd · Weinsberg/Ellhofen Gewerbegebiet · Bitzfeld · Bretzfeld · Sülzbach · Scheppach
Mannheim-Stuttgart · Münzesheim · Bahnbrücken · Eppingen S5 · Stetten am Heuchelberg · Leingarten · Leingarten Mitte · Leingarten Ost · Heilbronn Hbf · Weinsberg · Weinsberg West · Ellhofen · Sülzbach Schule · Wieslensdorf
Isheim · Gochsheim · Sulzfeld · Zaisenhausen · Flehingen · Schwaigern · Nordheim · Willsbach · Affaltrach · Eschenau
Bauerbach · Oberderdingen-Flehingen · Lauffen (Neckar) · S41 S42 · Neckar · HN-Trappensee
Göls. Industrie · 1) Rinklingen · Kirchheim (Neckar)
Bretten · Gölshausen · 2) Bretten Stadtmitte · 3) Bretten Rechberg · 4) Bretten, Wannenweg · Bretten, Kupferhälde · Bretten-Schulzentrum · Stuttgart · Walheim · Stuttgart

AVG Flexity Swift #931 (Mosbach-Neckarelz)

Bad Friedrichshall · Mosbach · Sinsheim · S41·S42 · Neckarsulm Nord · Neckarsulm Mitte · Neckarsulm · Neckar · Neckarsulm Süd · Kaufland · Hans-Rießer-Str. · Industrieplatz · HN-Sülmertor · Technisches Schulzentrum · Theater · Weinsberg Öhringen · Harmonie/Kunsthalle · Finanzamt

Schwaigern Karlsruhe · Leingarten Bf · Leingarten Ost · S4 · Böckingen Berufsschulzentrum · HEILBRONN Hbf · Neckar-Turm · Rathaus · Friedensplatz · Pfühlpark · HN-Trappensee
Böckingen West · Böckingen Sonnenbrunnen · Hauptbf. W.-Brandt-Platz S41 S42 · Stuttgart

1 km

Flexity Classic #657 (Weigelstraße)

RegioCitadis #706 (Holländische Straße)

Kassel (Hessen)

205 000 (107 km²)　　～ 350 000

el. 1898

1435 mm

49.7 km (städtisches Netz | *urban network*)
+ 3.1 km: L5 VW-Werk – Baunatal Bf Großenritte
+ 20.8 km: L4 Papierfabrik – Hess. Lichtenau
+ 86 km RegioTram

7 (+1) + 3 RegioTram

KVG (Kasseler Verkehrs-Gesellschaft AG)
www.kvg.de

RTG (RegioTram Gesellschaft mbH)
www.rtg-kassel.de

NVV (Nordhessischer Verkehrsverbund)
www.nvv.de

24 h „MultiTicket": 6.00 € (KS = Kassel);
7.50 € (KS+); 21.30 (NVV-Region)

Fahrzeuge | *Rolling Stock*

Nummer *Number*	Anzahl *Quantity*	Hersteller *Manufacturer*	Typ *Class*	Länge *Length*	Breite *Width*	Ausgeliefert *Delivered*
417-422	6	Duewag	N8C <=>	25.9 m	2.30 m	1986
451...475	23	Duewag	NGT6C =>	28.8 m	2.30 m	1990-1994
601-622	22	Bombardier	8NGTW *Flexity Classic* =>	29.3 m	2.40 m	1999-2000
631-640, 651-672	32	Bombardier	8ZNGTW *Flexity Classic* <=>	29.3 m	2.40 m	2001-2003, 2011-201
701-718	18	Alstom	8NRTW-E *RegioCitadis* (dc/ac) <=>	36.7 m	2.65 m	2004-2005
751-760	10	Alstom	8NRTW-D *RegioCitadis* (dc/Diesel) <=>	36.7 m	2.65 m	2005
501-515	15*	Bombardier	NB4WDE (ex Rostock)	14.5 m	2.20 m	2001-2002

Straßenbahn | *Tram*

BOStrab (750 V dc) — Straßenbahn | *Tram*

EBO (750 V dc) — Straßenbahn auf Eisenbahnstrecke
Tram on railway tracks

(15 kV ac & Diesel) — RegioTram und andere Bahnstrecken
Tram-train and other railway routes

Strecke außer Betrieb | *Route out of service*
Linksverkehr | *Left-hand operation*
Gleisverschlingung | *Interlaced tracks*

1) Scheidemannplatz
2) Kongress-Palais/Stadthalle
3) Friedenskirche
4) Goethestraße
5) Ständeplatz
6) Wilhelmstraße/Stadtmuseum

Straßenbahn | *Tram*

1 Wilhelmshöhe (Park) – Vellmar-Nord (15')
2 Baunatal – Schulzentrum Brückenhof (*)
3 Mattenberg – Ihringshäuser Straße (15')
4 Druseltal – Kaufungen/Papierfabrik (15') – Helsa (30') – Hess. Lichtenau (60')
5 Baunatal – Holländische Straße (15')
6 Schulzentrum Brückenhof – Ihringshäuser Straße (15')
7 Mattenberg – Wolfsanger (15')
8 Hessenschanze – Kaufungen/Papierfabrik (15')

RegioTram

RT1 Hofgeismar-Hümme – Holländische Straße (30')
RT4 Wolfhagen – Zierenberg (60') – Holländische Straße (30')
RT5 Auestadion – Melsungen (30')

* nur einzelne Fahrten an Schultagen | *limited service on school days*

REGION KASSEL

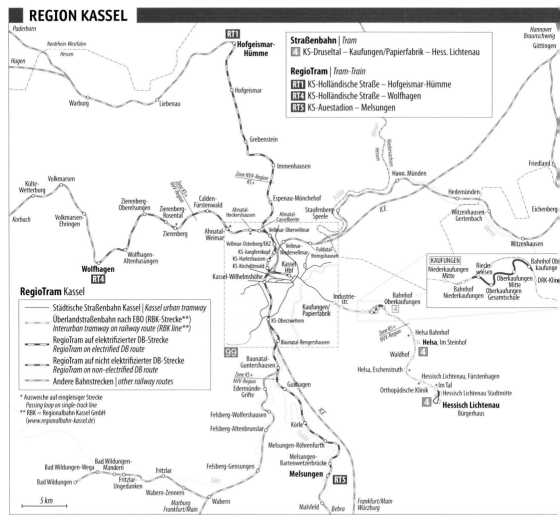

Straßenbahn | *Tram*
4 KS-Druseltal – Kaufungen/Papierfabrik – Hess. Lichtenau

RegioTram | *Tram-Train*
RT1 KS-Holländische Straße – Hofgeismar-Hümme
RT4 KS-Holländische Straße – Wolfhagen
RT5 KS-Auestadion – Melsungen

RegioTram Kassel

————	Städtische Straßenbahn Kassel	*Kassel urban tramway*
	Überlandstraßenbahn nach EBO (RBK-Strecke**)
	*Interurban tramway on railway route (RBK line**)*
	RegioTram auf elektrifizierter DB-Strecke
	RegioTram on electrified DB route
	RegioTram auf nicht elektrifizierter DB-Strecke
	RegioTram on non-electrified DB route
	Andere Bahnstrecken	*other railway routes*

* Ausweiche auf eingleisiger Strecke
  Passing loop on single-track line
** RBK = Regionalbahn Kassel GmbH
  (www.regionalbahn-kassel.de)

5 km

NGT6C #451 (Oberzehren Mitte)

NB4WDE #509 (Bahnhof Wilhelmshöhe)

Flexity Classic #658 (Ständeplatz)

Gotha ET57 #4 (Beuthenfall)

Kirnitzschtalbahn
(Sachsen)

el. 1898 | 1000 mm | 7.8 km | 1

OVPS (Oberelbische Verkehrsgesellschaft Pirna-Sebnitz mbH)
www.ovps.de
www.kirnitzschtalbahn.de

Day Pass 8.00 € (nur | only Tram)
ab | from Dresden:
4.00 € + 14.00 € VVO-Day Pass

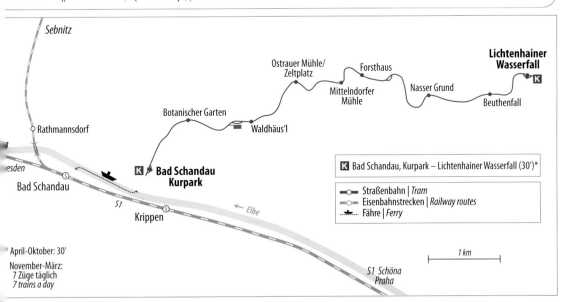

K Bad Schandau, Kurpark – Lichtenhainer Wasserfall (30')*

Straßenbahn | Tram
Eisenbahnstrecken | Railway routes
Fähre | Ferry

* April-Oktober: 30'

November-März:
7 Züge täglich
7 trains a day

1 km

Fahrzeuge | Rolling Stock

Nummer Number	Anzahl Quantity	Hersteller Manufacturer	Typ Class	Länge Length	Breite Width	Ausgeliefert Delivered
4, 6	5	VEB Waggonbau Gotha	ET57 (ex Plauen, Jena, Zwickau) <=>	10.9 m	2.20 m	1957-1960
1-25, 27	6	VEB Waggonbau Gotha	B2-62/B2-64* (ex Leipzig, Zwickau)	10.9 m	2.20 m	1963-1967
6	1	ČKD Praha	B2D* (ex Halle)		2.20 m	1968

diverse historische Fahrzeuge | several heritage vehicles   * Beiwagen | trailers

K5201 (Heinrich-Lübke-Ufer)

K4510 (Neumarkt)

Köln (Nordrhein-Westfalen)

1 080 000 (405 km²)

~ 2 300 000 (incl. Bonn)

el. 1901 — 1435 mm

190 km
inkl. Überlandstrecken bis Bonner Stadtgrenze
including interurban routes up to Bonn city boundary

12

KVB (Kölner Verkehrs-Betriebe AG)
www.kvb-koeln.de | www.kvb.koeln

VRS (Verkehrsverbund Rhein-Sieg)
www.vrsinfo.de

Day Pass: 8.80 € ([1b] = Köln)
11.10 € – 19.10 € ([2b] – [4]; [4] = K+Bonn

Fahrzeuge | *Rolling Stock*

Nummer *Number*	Anzahl *Quantity*	Hersteller *Manufacturer*	Typ *Class*	Länge *Length*	Breite *Width*	Ausgeliefert *Delivered*
– Hochflur | *High-floor* –						
2031... 2333*	115	Duewag	B100S & B80D	28.0 m	2.65 m	1977-1996
5101-5159, 5201-5215	74	Bombardier	K5000 *Flexity Swift*	29.5 m	2.65 m	2002-2003, 201C
bestellt | *ordered* 03/2015	*20*	*Bombardier*	*Flexity Swift*	*28.0 m*	*2.65 m*	*2020-2021*
– Niederflur | Low-floor –						
4001-4124	124	Bombardier	K4000 *Flexity Swift*	29.4 m	2.65 m	1995-2002
4501-4569	69	Bombardier	K4500 *Flexity Swift*	29.0 m	2.65 m	2004-2007

* modernisierte Wagen umnummeriert auf 24xx | *rebuilt car renumbered 2*

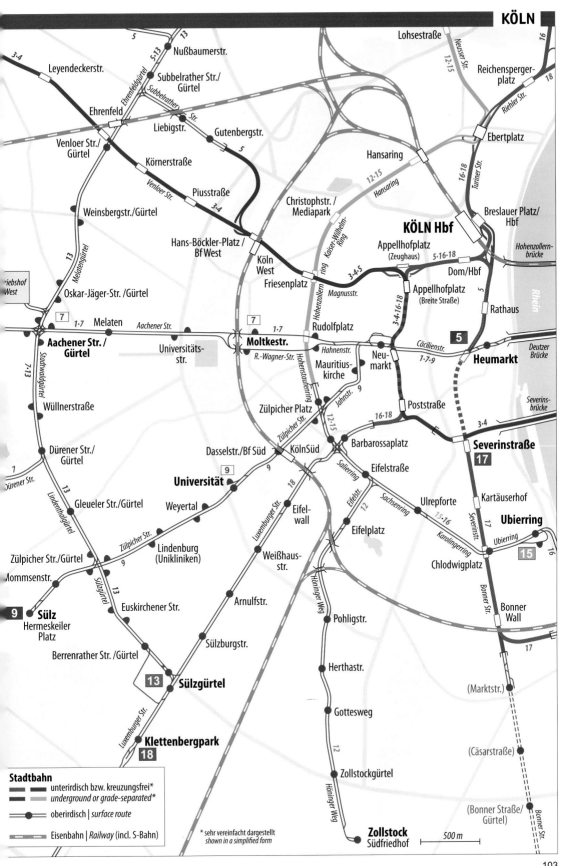

Lohsestraße

Reichensperger-
platz

Nußbaumerstr.

Leyendeckerstr.

Subbelrather Str./
Gürtel

Ehrenfeld

Ebertplatz

Liebigstr.

Gutenbergstr.

Hansaring

Venloer Str./
Gürtel

Körnerstraße

Breslauer Platz/
Hbf

Piusstraße

Christophstr. /
Mediapark

KÖLN Hbf

Weinsbergstr./Gürtel

Appellhofplatz
(Zeughaus)

Hans-Böckler-Platz /
Bf West

Köln
West

Dom/Hbf

Oskar-Jäger-Str. /Gürtel

Friesenplatz

Appellhofplatz
(Breite Straße)

Hohenzollern-
brücke

Rhein

Rathaus

Triebhof
West

Magnusstr.

Rudolfplatz

7

Melaten

Aachener Str.

7

Moltkestr.

Hahnenstr.

5

**Aachener Str. /
Gürtel**

Universitäts-
str.

R.-Wagner-Str.

Mauritius-
kirche

Neu-
markt

Heumarkt

Deutzer
Brücke

Wüllnerstraße

Zülpicher Platz

Poststraße

Severins-
brücke

Dürener Str./
Gürtel

Dasselstr./Bf Süd

KölnSüd

Barbarossaplatz

Severinstraße

17

Dürener Str.

Universität

9

Eifelstraße

Kartäuserhof

Gleueler Str./Gürtel

Weyertal

Eifel-
wall

Ulrepforte

Ubierring

Zülpicher Str./Gürtel

Lindenburg
(Unikliniken)

Weißhaus-
str.

Eifelplatz

Chlodwigplatz

15

Mommsenstr.

Euskirchener Str.

Arnulfstr.

Bonner
Wall

9

Sülz
Hermeskeiler
Platz

Sülzburgstr.

Pohligstr.

(Marktstr.)

Berrenrather Str. /Gürtel

Herthastr.

13

Sülzgürtel

Gottesweg

(Cäsarstraße)

Klettenbergpark

18

Zollstockgürtel

(Bonner Straße/
Gürtel)

Zollstock
Südfriedhof

KÖLN

Niederflurnetz | *Low-floor system*

1 Weiden West – Brück, Mauspfad (10') – Bensberg (20')
7 Frechen – Aachener Str./Gürtel (20') – Zündsdorf (10')
9 Sülz – Königsforst (10')
12 Merkenich – Niehl (20') – Zollstock (10')
15 Chorweiler – Ubierring (10')

Hochflurnetz | *High-floor system*

3 Görlinger-Zentrum – Holweide (10') – Thielenbruch* (10')
4 Bocklemünd – Schlebusch (10')
5 Am Butzweilerhof – Heumarkt (10')
13 Sülzgürtel – Holweide (10')
16 Niehl/Sebastianstr. – Sürth (10') – Bonn/Bad Godesberg (20')
17 Severinstraße – Rodenkirchen (10') – Sürth* (10')
18 Thielenbruch – Buchheim (10') – Klettenbergpark (5') –
       Brühl (10') – Bonn Hbf (20')

* nur HVZ | *rush hour only*

S6 Düsseldorf | Wuppertal

LEVERKUSEN

LEV-Chempark

4 Schlebusch

Berliner Str.

Odenthaler Str.

Leuchterstraße

K-Stammheim

Am Emberg

Bergisch Gladbach S11

Ducterath

Im Weidenbruch

K-Dellbrück

Holweide

Berliner Str.

Mülheim
Berliner Str.

S11

on-Sparr-Str.

Dellbrück Hauptstr.

3 **18** Tram-Museum

Thielenbruch

Keupstr.

Neufelder Str.

Dellbrück Mauspfad

BERGISCH GLADBACH   Neuenweg

Frankenforst

Kölner
Str.

1 **Bensberg**

Mülheim
Wiener Platz

3

Holweide
Vischeringstr.

13

Maria-Himmelfahrt-Str.

Im
Hoppenkamp

Mülheim

18

Wichheimer Str.

Buchforst

Buchheim
Herler Str.

Kippekausen

Buchheim Frankfurter Str.

Lustheide

1

Refrath

Buchforst
Waldecker Str.

Flehbachstr.

1

Zone 2b

egerwald-
siedlung

Merheim

**Brück
Mauspfad**

Kalk Kapelle 1

Fuldaer Str.

Höhenberg
Frankfurter Str.

Kalker Friedhof

ost 1-9

Trimbornstr.

9   Vingst

Ostheim

Autobahn

Steinweg

Rath-Heumar

Königsforst

Baumschulenweg

Porzer Str.

Röttgens-
weg

9

*Marienheide
Gummersbach*

Frankfurter Str.

Airport-Businesspark

Westhoven
Kölner Straße

Westhoven
Berliner Str.

Rösrath

Ensen
Gilgaustr.

Ensen
Kloster

Steinstr.

S13 S19

Rösrath-Stümpen

← *Rhein*

Porz
Steinstr.

traße

Porz Markt

K-Porz

chaelshoven

→ *CGN*
Köln / Bonn Flughafen

Rosenhügel

S12

Sürth

Zündorf

7

K-Porz-Wahn   S12/S19 Au (Sieg)
S13 Troisdorf
Frankfurt

1 km

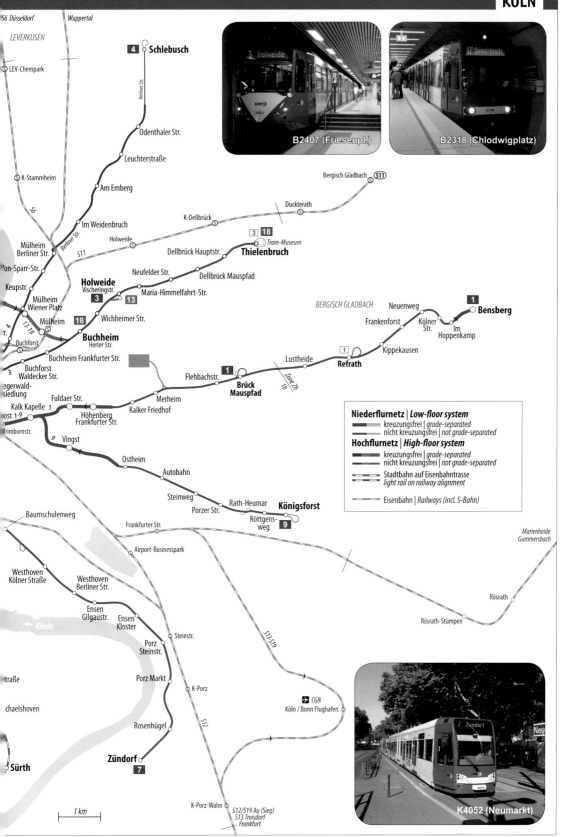

B2407 (Friesenpl.)

B2318 (Chlodwigplatz)

K4052 (Neumarkt)

Flexity #604 (St. Tönis/Wilhelmsplatz)

Rheinbahn B80D #4283 (Hauptbahnhof)

Krefeld (Nordrhein-Westfalen)

227 000 (138 km²)

1900

1000 mm (U76: 1435 mm)

36 km

4 (+ U76 ⇨ Düsseldorf)

SWK (Stadtwerke Krefeld AG)
www.swk-mobil.de

VRR (Verkehrsverbund Rhein-Ruhr)
www.vrr.de

[A] 7.10 € (= Krefeld + St. Tönis, Wilh.)
[B] 14.50 € (+ Meerbusch & Düsseldf. Hb

Fahrzeuge | *Rolling Stock*

Nummer *Number*	Anzahl *Quantity*	Hersteller *Manufacturer*	Typ *Class*	Länge *Length*	Breite *Width*	Ausgeliefert *Delivered*
835...850	~9	Duewag	M8C <=>	26.6 m	2.30 m	1980-1981
601-619, 660-671	31	Bombardier	6NGTW *Flexity Outlook* <=>	30.0 m	2.30 m	2009-2010, 2014

M8C #845 (Obergplatz) *Foto Bodo Schulz*

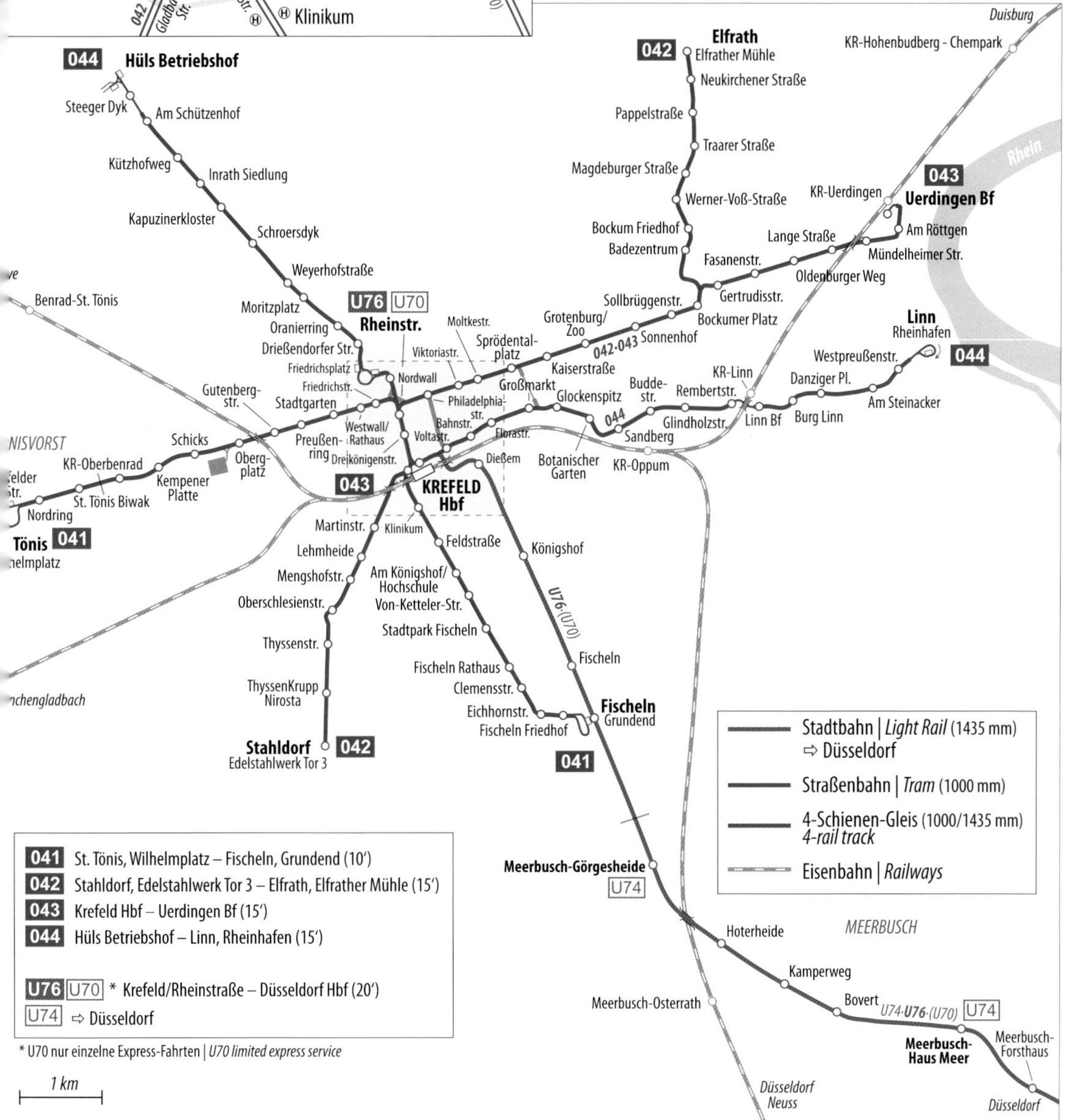

041 St. Tönis, Wilhelmplatz – Fischeln, Grundend (10′)
042 Stahldorf, Edelstahlwerk Tor 3 – Elfrath, Elfrather Mühle (15′)
043 Krefeld Hbf – Uerdingen Bf (15′)
044 Hüls Betriebshof – Linn, Rheinhafen (15′)

U76 U70 * Krefeld/Rheinstraße – Düsseldorf Hbf (20′)
U74 ⇨ Düsseldorf

* U70 nur einzelne Express-Fahrten | *U70 limited express service*

Tramino #1008 (Beyerleinstraße > Gohlis, Landsberger Straße)

Flexity #1219 (Möckernscher Markt)

Leipzig (Sachsen)

- 582 000 (297 km²)
- ~ 650 000
- el. 1896
- 1458 mm
- km 124 km
- 13

LVB (Leipziger Verkehrs-
betriebe GmbH)
www.lvb.de (www.l.de)

MDV (Mitteldeutscher
Verkehrsverbund)
www.mdv.de

7.60 € (Zone 110 = Leipzig)
8.20 € (Leipzig + 1 Zone)

Fahrzeuge | Rolling Stock

Nummer Number	Anzahl Quantity	Hersteller Manufacturer	Typ Class	Länge Length	Breite Width	Ausgeliefert Delivered
2055...2089, 2101...2195	~95	ČKD Tatra	T4D-M =>	14.9 m	2.20 m	1982-1986
792, 795, 798*	3	ČKD Tatra	B4D-NF*	15.2 m	2.20 m	1984-1987
1101-1156	56	DWA/Siemens	NGT8 =>	27.8 m	2.20 m	1994-1998
901-943**	43	Bombardier	NB4**	14.5 m	2.20 m	2000-2002
1301, 1303-1350	49	LFB (HeiterBlick)	NGTW6 Leoliner =>	23.1 m	2.30 m	2003-2011
1201-1233	33	Bombardier	NGT12 Flexity Classic XXL =>	45.1 m	2.30 m	2005-2012
1001-1061	23/61	Solaris	NGT10 Tramino =>	37.6 m	2.30 m	2016-2021

* in Leipzig zu Niederflurbeiwagen umgebaut | rebuilt into low-floor trailers in Leipzig **Niederflurbeiwagen | low-floor tra

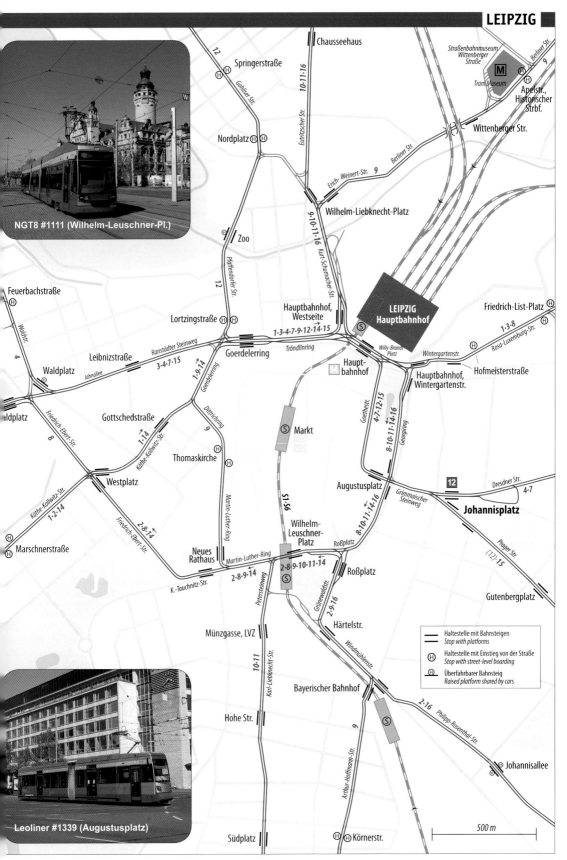

NGT8 #1111 (Wilhelm-Leuschner-Pl.)

Leoliner #1339 (Augustusplatz)

Chausseehaus

Springerstraße

10·11·16

Straßenbahnmuseum Wittenberger Straße

Tram Museum

M

Berliner Str.

9

Apelstr., Historischer Strbf.

Eutritzscher Str.

Nordplatz

Göbler Str.

12

Erich- Weinert-Str.

Berliner Str.

9

Wittenberger Str.

Wilhelm-Liebknecht-Platz

9·10·11·16

Kurt-Schumacher-Str.

Zoo

Pfaffendorfer Str.

12

Feuerbachstraße

Waldstr.

4

Lortzingstraße

Hauptbahnhof, Westseite

1·3·4·7·9·12·14·15

LEIPZIG Hauptbahnhof

S

Willy-Brandt-Platz

Wintergartenstr.

Friedrich-List-Platz

Rosa-Luxemburg-Str.

1·3·8

Leibnizstraße

Ranstädter Steinweg

Goerdelerring

Tröndlinring

Haupt-bahnhof

Hauptbahnhof, Wintergartenstr.

Hofmeisterstraße

Waldplatz

Jahnallee

3·4·7·15

1·9·14

Goerdelerring

Dittrichring

Goethestr.

4·7·12·15

Georgiring

ldplatz

Friedrich-Ebert-Str.

8

Gottschedstraße

1·14

Käthe-Kollwitz-Str.

9

Markt

S

8·10·11·14·16

Thomaskirche

Martin-Luther-Ring

S1·S6

Augustusplatz

8·10·11·14·16

Grimmaischer Steinweg

12

Dresdner Str.

4·7

Johannisplatz

Westplatz

Käthe-Kollwitz-Str.

1·2·14

2·8·14

Friedrich-Ebert-Str.

Wilhelm-Leuschner-Platz

Roßplatz

Prager Str.

(12)·15

Marschnerstraße

Neues Rathaus

Martin-Luther-Ring

K.-Tauchnitz-Str.

2·8·9·14

2·8·9·10·11·14

S

Roßplatz

Gutenbergplatz

Münzgasse, LVZ

10·11

Karl-Liebknecht-Str.

Petersteinweg

Grünewaldstr.

2·9·16

Härtelstr.

Windmühlenstr.

	Haltestelle mit Bahnsteigen *Stop with platforms*
Ⓗ	Haltestelle mit Einstieg von der Straße *Stop with street-level boarding*
Ⓗ	Überfahrbarer Bahnsteig *Raised platform shared by cars*

Hohe Str.

Bayerischer Bahnhof

Arthur-Hoffmann-Str.

9

S

2·16

Philipp-Rosenthal-Str.

Johannisallee

500 m

Südplatz

Körnerstr.

LEIPZIG

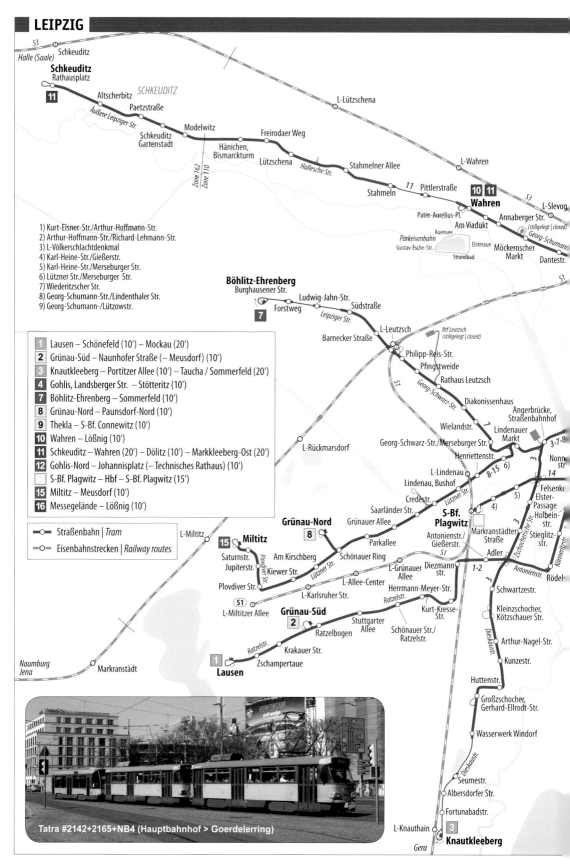

S3
Halle (Saale)
Schkeuditz

Schkeuditz
Rathausplatz
11
Altscherbitz
Paetzstraße
Äußere Leipziger Str.
Schkeuditz
Gartenstadt
Modelwitz
Hänichen,
Bismarckturm
SCHKEUDITZ
Zone 162
Zone 110
Freirodaer Weg
Lützschena
Hallesche Str.
Stahmelner Allee
Stahmeln
L-Lützschena
L-Wahren
11 Pittlerstraße
10 11
Wahren
S3
L-Slevog
Pater-Aurelius-Pl.
Am Viadukt
Annaberger Str.
(stillgelegt | closed)
Georg-Schumann-...
Parkeisenbahn
Gustav-Esche-Str.
Auensee
Elsteraue
Möckernscher
Markt
Strandbad
Dantestr.
S1

1) Kurt-Eisner-Str./Arthur-Hoffmann-Str.
2) Arthur-Hoffmann-Str./Richard-Lehmann-Str.
3) L-Völkerschlachtdenkmal
4) Karl-Heine-Str./Gießerstr.
5) Karl-Heine-Str./Merseburger Str.
6) Lützner Str./Merseburger Str.
7) Wiederitzscher Str.
8) Georg-Schumann-Str./Lindenthaler Str.
9) Georg-Schumann-/Lützowstr.

Böhlitz-Ehrenberg
Burghausener Str.
7
Forstweg
Ludwig-Jahn-Str.
Südstraße
Leipziger Str.
L-Leutzsch
Barnecker Straße
*Btf Leutzsch
(stillgelegt | closed)*
Philipp-Reis-Str.
Pfingstweide
Rathaus Leutzsch
S1
Diakonissenhaus
Georg-Schwarz-Str.
Angerbrücke,
Straßenbahnhof
Wielandstr.
7
Lindenauer
Markt
Georg-Schwarz-Str./Merseburger Str.
Henriettenstr.
3·7·8
L-Rückmarsdorf
Nonn
str
8·15 6)
14
L-Lindenau
Lindenau, Bushof
Credéstr.
Lützner Str.
5)
Felsenke
Elster-
Passage
Holbein-
str.
Saarländer Str.
**S-Bf.
Plagwitz**
4)
Stieglitz-
str.
Grünau-Nord
8
Grünauer Allee
Parkallee
Antonienstr./
Gießerstr.
Markranstädter
Straße
Adler
S1
Könnerit...
L-Miltitz
15 Miltitz
Am Kirschberg
Schönauer Ring
L-Grünauer
Allee
Diezmann-
str.
1·2
Antonienstr.
Rödel
Saturnstr.
Jupiterstr.
Kiewer Str.
Lützner Str.
L-Allee-Center
Herrmann-Meyer-Str.
Kurt-Kresse-Str.
Schwartzestr.
Plovdiver Str.
L-Karlsruher Str.
Ratzelstr.
Schönauer Str./
Ratzelstr.
Kleinzschocher,
Kötzschauer Str.
S1
L-Miltitzer Allee
Grünau-Süd
2
Ratzelbogen
Stuttgarter
Allee
Arthur-Nagel-Str.
Kunzestr.
Ratzelstr.
Krakauer Str.
1
Lausen
Zschampertaue
Huttenstr.
Naumburg
Jena
Markranstädt
Großzschocher,
Gerhard-Ellrodt-Str.
Wasserwerk Windorf
Dieskaustr.
Seumestr.
Albersdorfer Str.
Fortunabadstr.
L-Knauthain
3
Gera
Knautkleeberg

---

1 Lausen – Schönefeld (10') – Mockau (20')
2 Grünau-Süd – Naunhofer Straße (– Meusdorf) (10')
3 Knautkleeberg – Portitzer Allee (10') – Taucha / Sommerfeld (20')
4 Gohlis, Landsberger Str. – Stötteritz (10')
7 Böhlitz-Ehrenberg – Sommerfeld (10')
8 Grünau-Nord – Paunsdorf-Nord (10')
9 Thekla – S-Bf. Connewitz (10')
10 Wahren – Lößnig (10')
11 Schkeuditz – Wahren (20') – Dölitz (10') – Markkleeberg-Ost (20')
12 Gohlis-Nord – Johannisplatz (– Technisches Rathaus) (10')
  S-Bf. Plagwitz – Hbf – S-Bf. Plagwitz (15')
15 Miltitz – Meusdorf (10')
16 Messegelände – Lößnig (10')

—o— Straßenbahn | *Tram*
=o= Eisenbahnstrecken | *Railway routes*

Tatra #2142+2165+NB4 (Hauptbahnhof > Goerdelerring)

Leipzig Messe S6 16
Messegelände
Georg-Herwegh-Str.
Seehausener Str.
Wiederitzsch-Mitte
Dachauer Str.
Delitzscher Str.

❖ Flughafen/Airport, Halle (Saale), Erfurt
Dessau, Berlin

Hoyerswerda
Cottbus

TAUCHA

Klinikum St. Georg
Hornbach
Baumarkt
Gohlis
Landsberger Straße
Beyerleinstr.
Landsberger Str./
Max-Liebermann-Str.
Baaderstr.
Viertelsweg
Gottschallstr.
L-Coppi-platz
L-Gohlis
Wilhelminenstr.
Hamburger Str.
Apelstr.
Chaussee-haus
Wilhelm-Liebknecht-Platz
Wittenberger Str.
Stanneinpl.
Volksgarten
Torgauer Platz

Gohlis-Nord 12
Delitzscher Str./
Essener Str.
Mosenthinstr.
Virchowstr./
Coppistr.
Eutritzscher Markt
Leipzig Nord
Eutritzscher Zentrum

L-Essener Str.
Mockau Post 1
Mockau, Kirche
Samuel-Lampel-Str.
Döringstr.
L-Thekla
Friedrichshafner Str.
Mockauer Str./Volbedingstr.
Schönefeld
Volbedingstr.
Rathaus Schönefeld
Stöckelstr.
Ossietzkystr./Gorkistr.
Löbauer Str.

Thekla 9

Taucha
An der Bürgerruhe
Taucha
Freiligrathstr. 3
Th.-Körner-Str.
Taucha, Otto-Schmidt-Str.
L-Heiterblick
Hauptwerkstatt Heiterblick
Portitzer Allee, S-Bf. Heiterblick
Heisenbergstraße
Heiterblick, Teslastr.
Arcus Park
Hohentichelnstr.

Paunsdorf-Nord
Hermelinstraße
Ahornstr. 8
Am Vorwerk
Paunsdorfer Al./
Permoserstr.
Paunsdorf-Center

Zone 168
Zone 110
Leipziger Str.

Springerstr.
Fritz-Seger-Str.
Nordplatz
Am Mücken-schlösschen
Feuerbachstr.
Lortzingstr.
Leibnitzstr.
Gottsched-str.
Thomas-kirche
LEIPZIG Hbf
Hbf, West-seite
Goerdeler-ring
Markt
Augustus-platz
Wilhelm-Leuschner-Platz
Roßplatz
Härtelstr.
Neues Rathaus
Münzgasse, LVZ
Zoo

Bautzner Straße
Schwantesstr.
Permoserstr./Torgauer Str.
Geißlerstr.,
Bülowviertel
Ostheim-str.
L-Sellerhausen
Riesaer Str.
Theodor-Heuss-Straße
Barbarastr.
L-Engelsdorf
L-Paunsdorf
Sellerhausen, Emmausstr.
L-Werkstättenstr.

Paunsdorf, Straßenbahnhof 3 7 Sommerfeld
Wurzen
Dresden

Friedrich-List-Platz
Einertstr.
Herm.-Liebmann-Str./
Eisenbahnstr.
Edlichstr.
Wiebelstr.
Annenstr.
Reudnitz, Koehlerstr.
Breite Straße
Gerichtsweg
Dresdner Str.
Johannisplatz
Gutenbergplatz
Ostplatz
Johannisallee
Witzgall-str.
Deutsche National-biblio-thek
Technisches Rathaus
Breslauer Straße
Weißestr.
Kolmstraße
Naunhofer Straße
Rathaus Stötteritz
Stötteritz
Holzhäuser Straße 4
L-Mölkau

Riebeckstr./
Oststr.
Riebeckstr./
Stötteritzer Str.
L-Stötteritz
S1 S2

Westplatz
Marschner-str.
Klingerweg
Hohe Straße
Körner-str.
Südplatz
109
Karl-Liebknecht-Str./
Kurt-Eisner-Str.
Steinplatz
Richard-Lehmann-Str., HTWK
MDR 1)
Altes Messegelände
An den Tierkliniken 3)
2
Völkerschlachtdenkmal
Südfriedhof
L-Anger-Crottendorf
S4

Prager Straße/
Russenstraße
Probstheida
L-Holzhausen

Connewitz, Kreuz
Wiedebachplatz
Pfeffingerstr.
Hildebrandtstr.
S-Bf. Connewitz 9
Arno-Nitzsche-Str./
A.-Hoffmann-Str.
Meusdorfer Str.
Triftweg
An der Märchenwiese
Moritz Hof
L-Conne-witz
R.-Lehmann-Str./
Zwickauer Str.
Franzosenallee
Roseggerstraße
Meusdorf 15

Lößnig 10 16
Friederikenstraße
Leinestraße
Dölitz
Straßenbahnhof
Am Eichwinkel
Markkleeberg, Virchowstr.
Markkleeberg-Ost 11
Schillerplatz
Markkleeberg Nord
Markkleeberg

Zone 110
Zone 151

MARKKLEEBERG

1 km

Zwickau
Plauen
Geithain

Chemnitz

* Der Abschnitt zwischen Technisches Rathaus und
Riebeckstr./Stötteritzer Str. wird zur Hauptverkehrszeit
fahrplanmäßig bedient, indem die Linie 12 morgens
in die Linie 4E übergeht und nachmittags umgekehrt.

*The section between Technisches Rathaus and
Riebeckstr./Stötteritzer Str. is served by regular trams
during peak hours, with line 12 continuing as line 4E
in the morning peak and vice versa in the afternoon.*

NGT 8D #1308 + B6A2M (Alter Markt

bis 2020 wegen Bauarbeiten außer Betrieb
out of service until 2020 due to construction work

Magdeburg (Sachsen-Anhalt)

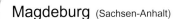	239 000 (201 km²)
	~ 320 000
el.	1899
	1435 mm
km	59.5 km (+ ~7 km im Bau | u/c)
	9
	MVB (Magdeburger Verkehrs-betriebe GmbH) www.mvbnet.de
	marego (Magdeburger Regional-verkehrsverbund) www.marego-verbund.de
Day Pass	5.30 €

Fahrzeuge | Rolling Stock

Nummer Number	Anzahl Quantity	Hersteller Manufacturer	Typ Class	Länge Length	Breite Width	Ausgeliefert Delivered
1280-1283	4	ČKD Tatra	T6A2M =>	14.5 m	2.20 m	1989
2144, 2147, 2201-2011*	13	ČKD Tatra	B6A2M* (ex Berlin)	14.5 m	2.20 m	1989-1990
1301-1383	83	Alstom LHB	NGT 8D =>	29.9 m	2.30 m	1994-2002, 201

* Beiwagen | tra

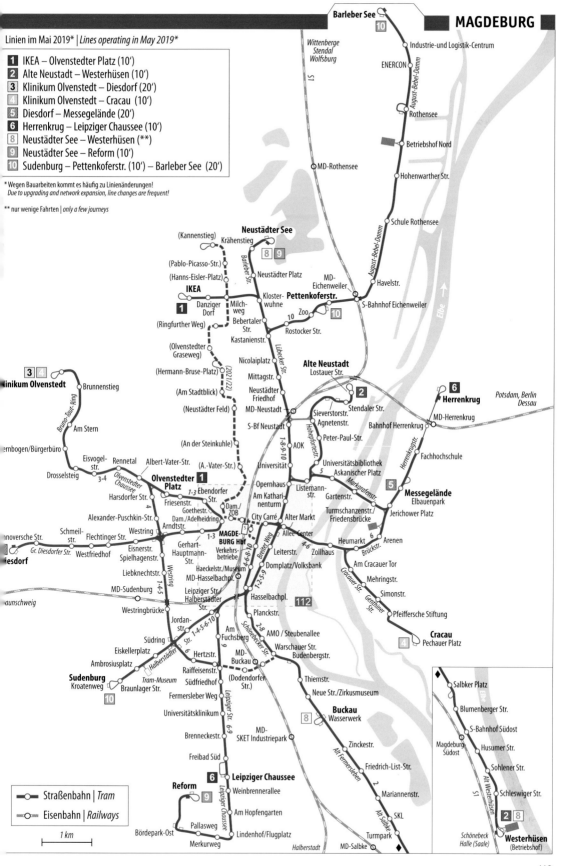

MAGDEBURG

Linien im Mai 2019* | Lines operating in May 2019*

1 IKEA – Olvenstedter Platz (10')
2 Alte Neustadt – Westerhüsen (10')
3 Klinikum Olvenstedt – Diesdorf (20')
4 Klinikum Olvenstedt – Cracau (10')
5 Diesdorf – Messegelände (20')
6 Herrenkrug – Leipziger Chaussee (10')
8 Neustädter See – Westerhüsen (**)
9 Neustädter See – Reform (10')
10 Sudenburg – Pettenkoferstr. (10') – Barleber See (20')

* Wegen Bauarbeiten kommt es häufig zu Linienänderungen!
  Due to upgrading and network expansion, line changes are frequent!

** nur wenige Fahrten | *only a few journeys*

Straßenbahn | *Tram*
Eisenbahn | *Railways*

1 km

Variobahn #218 (Plaza)

GT6M #211 (Im Borner Grund)

Mainz (Rheinland-Pfalz)

215 000 (98 km²)

1904

1000 mm

30 km

5

MVG (Mainzer Verkehrsgesellschaf
www.mvg-mainz.de
www.mainzer-mobilitaet.de

RMV (Rhein-Main-Verkehrsverbunc
www.rmv.de
RNN
(Rhein-Nahe Nahverkehrsverbund)
www.rnn.info

5.60 € (Mainz+Wiesbaden)

Fahrzeuge | Rolling Stock

Nummer Number	Anzahl Quantity	Hersteller Manufacturer	Typ Class	Länge Length	Breite Width	Ausgeliefert Delivered
271-276	6	Duewag	M8C <=>	26.6 m	2.30 m	1984
201-216	16	Adtranz/AEG	GT6M-ZR <=>	26.8 m	2.30 m	1996
217-225, 227-236	19	Stadler	Variobahn =>	30.1 m	2.30 m	2012, 2015-201

M8C #272 (Hauptbahnhof)

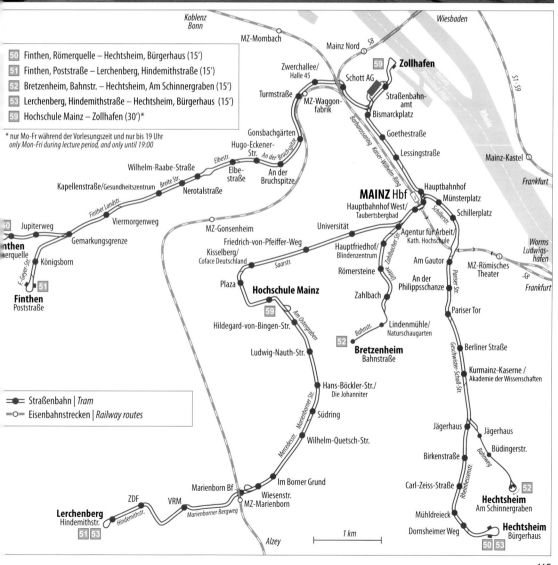

50 Finthen, Römerquelle – Hechtsheim, Bürgerhaus (15')
51 Finthen, Poststraße – Lerchenberg, Hindemithstraße (15')
52 Bretzenheim, Bahnstr. – Hechtsheim, Am Schinnergraben (15')
53 Lerchenberg, Hindemithstraße – Hechtsheim, Bürgerhaus (15')
59 Hochschule Mainz – Zollhafen (30')*

* nur Mo-Fr während der Vorlesungszeit und nur bis 19 Uhr
only Mon-Fri during lecture period, and only until 19:00

Straßenbahn | *Tram*
Eisenbahnstrecken | *Railway routes*

Koblenz
Bonn
MZ-Mombach
Mainz Nord
Wiesbaden
59 **Zollhafen**
Zwerchallee/
Halle 45
Schott AG
Turmstraße
MZ-Waggon-
fabrik
Straßenbahn-
amt
Bismarckplatz
Gonsbachgärten
Goethestraße
Hugo-Eckener-
Str.
An der Bruchspitze
Lessingstraße
Mainz-Kastel
Elbestr.
An der
Bruchspitze
Frankfurt
Wilhelm-Raabe-Straße
Elbe-
straße
Kapellenstraße/Gesundheitszentrum
Breite Str.
Nerotalstraße
MAINZ Hbf
Hauptbahnhof
Münsterplatz
Schillerplatz
Finther Landstr.
MZ-Gonsenheim
Hauptbahnhof West/
Taubertsbergbad
Schillerstr.
Jupiterweg
Viermorgenweg
Universität
Agentur für Arbeit/
Kath. Hochschule
Worms
Ludwigs-
hafen
Gemarkungsgrenze
Friedrich-von-Pfeiffer-Weg
Hauptfriedhof/
Blindenzentrum
Am Gautor
MZ-Römisches
Theater
Königsborn
Kisselberg/
Coface Deutschland
Saarstr.
Römersteine
An der
Philippsschanze
Frankfurt
F.-Geyer-Str.
51
Plaza
Hochschule Mainz
Zahlbach
Pariser Tor
Finthen
Poststraße
59
Am Ostergraben
Bahnstr.
Lindenmühle/
Naturschaugarten
Berliner Straße
Hildegard-von-Bingen-Str.
52
Bretzenheim
Bahnstraße
Kurmainz-Kaserne /
Akademie der Wissenschaften
Ludwig-Nauth-Str.
Mercedesstr.
Marienborner Str.
Hans-Böckler-Str./
Die Johanniter
Jägerhaus
Jägerhaus
Südring
Birkenstraße
Büdingerstr.
Bahnweg
Wilhelm-Quetsch-Str.
Carl-Zeiss-Straße
52
Im Borner Grund
Marienborn Bf
Wiesenstr.
MZ-Marienborn
Hechtsheim
Am Schinnergraben
ZDF
VRM
Mühldreieck
Hechtsheim
Lerchenberg
Hindemithstr.
Marienborner Bergweg
Dornsheimer Weg
Bürgerhaus
Hindemithstr.
51 **53**
Alzey
1 km
50 **53**
Geschwister-Scholl-Str.
Rheinhessenstr.
Pariser Str.
Unter Zahlbacher Str.
Kaiser-Wilhelm-Ring
Barbarossaring

Avenio T1.6 #2802 (Baumkirchner Straß

P3 #2005 +p3 (Wörthstraße)

München (Bayern)

1 550 000 (311 km²)   ~ 2 800 000

el.   **T** 1895 **U** 1971

T & **U** 1435 mm

T 79.5 km
U 95 km

T 10 (+3); **U** 6 (+2)

MVG (Münchner Verkehrsgesellschaft)
www.mvg.de

MVV (Münchner Verkehrsverbund)
www.mvv-muenchen.de

6.70 € (Innenraum = München)
8.90 € (XXL = M + Garching etc.)

R2.2 #2153 (Hauptbahnhof)

C2 #6721 (Partnachplatz)

U-Bahn

U1	Olympia-Einkaufszentrum – Mangfallplatz (10')
U2	Feldmoching – Harthof (10') – Messestadt Ost (5')
U3	Moosach – Fürstenried West (10')
U4	(Westendstr. –) Theresienwiese – Arabellapark (10')
U5	Laimer Platz – Neuperlach Süd (10')
U6	Garching-Forschungsz. – Münchner Freiheit (10') – Harras (5') – Klinikum Großhadern (10')
U7	Olympia-Einkaufsz. – Neuperlach Zentrum (10')*
U8	Olympiazentrum – Neuperlach Zentrum (10')**

* U7 nur Hauptverkehrszeiten | only peak hours
** U8 nur samstags | Saturdays only

U-Bahn-Stammstrecken / U-Bahn trunk routes	
Straßenbahn	Tram	
S-Bahn & andere Bahnstrecken / S-Bahn & other railway routes	

1 km

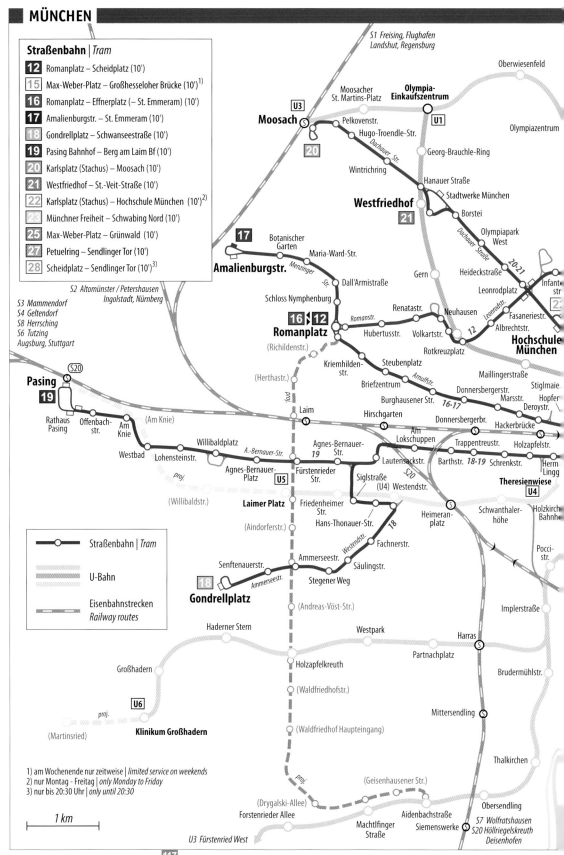

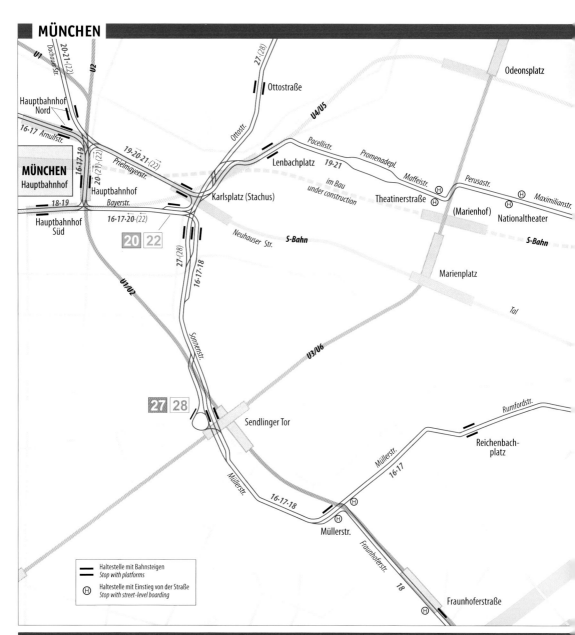

MÜNCHEN

MÜNCHEN
Hauptbahnhof

Fahrzeuge | Rolling Stock

Nummer Number	Anzahl Quantity	Hersteller Manufacturer	Typ Class	Länge Length	Breite Width	Ausgeliefert Delivered
T 2005, 2006, 2010	3	Rathgeber	P3 =>	16.7 m	2.35 m	1967-1968
T 3005, 3037, 3039[1]	3[1]	Rathgeber	p3[1]		2.35 m	1967-1968
T 2101-2121, 2123-2140, 2142-2170	68	AEG, Adtranz	R2.2 - GT6N =>	26.8 m	2.30 m	1994-1997
T 2201-2220	20	Adtranz	R3.3 - GT8N2 =>	36.6 m	2.30 m	1999-2001
T 2301-2304, 2311-2320	14	Stadler	S1.4, S1.5 - Variobahn =>	33.9 m	2.30 m	2009, 2011-201
T 2801-2808	8	Siemens	T1.6 - Avenio =>	36.9 m	2.30 m	2013-2014
T 2501-2504	4	Siemens	T4.7 - Avenio =>	36.9 m	2.30 m	2017-2018
T 2701-2709	9	Siemens	T2.7 - Avenio =>	19.1 m	2.30 m	2018
T 2751-2759	9	Siemens	T3.7 - Avenio =>	27.7 m	2.30 m	2018
U 6093/7093	1 DT[2]	WMD/MBB	A1 (Prototyp)	37.2 m	2.90 m	1967
U 6101/7101... 6371/7371	180 DT[2]	Orenstein & Koppel, MBB/MAN	A2.1-A2.6	37.2 m	2.90 m	1970-1983
U 6501/7501-6535/7535	35 DT[2]	MBB/MAN	B2.7	37.5 m	2.90 m	1988
U 6551/7551-6572/7572	22 DT[2]	DWA	B2.8	37.5 m	2.90 m	1994-1995
U 6601/7601-6618/7618	18 (x6)	Siemens/Bombardier	C1.9-C1.10	114.0 m	2.90 m	2001, 2005
U 6701/7701-6721/7721	21 (x6)	Siemens	C2.11	114.0 m	2.90 m	2014

1) Beiwagen | trailers   2) Doppeltriebwagen | married

Nationalmuseum/
Haus der Kunst

Holbeinstr.

Wagmüllerstr.

16

Triftstr.

Friedensengel/
Villa Stuck

Lehel

Thierschstr.

Ismaninger Str.

17

19-21   Kammerspiele

Maximilianstr.

Maxmonument

Maximiliansbrücke

Maximilianeum

19-21   Max-Weber-Platz   19   U4

Max-Planck-Str.

Einsteinstr.

Marianenplatz

16

Schloßstr.

Thierschstr.

Wiener Platz

15 **25**

U5

Isar →

17

Max-Weber-Pl.
(Johannispl.)

Isartor

Innere Wiener Str.

Metzgerstr.

17

(15) 21-25

Zweibrückenstr.

Ludwigsbrücke

Am Gasteig

S-Bahn

Milchstr.

Wörth-
str.

Wörthstr.

Deutsches Museum

Am Gasteig

Steinstr.

(15) 25

im Bau
under construction

Ostbahnhof

21

S-Bahn

500 m

Rosenheimer
Platz

2 #6140 (Karlsplatz (Stachus))

Variobahn S1.5 #2315 (Wörthstraße)

NAUMBURG (Saale)

#51 (Salztor > Vogelwiese)

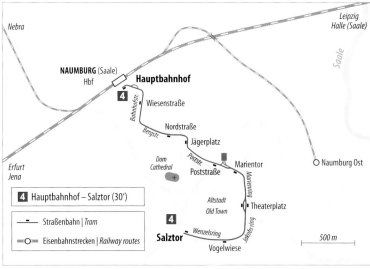

Leipzig
Halle (Saale)

Nebra

NAUMBURG (Saale)
Hbf

Hauptbahnhof

4

Wiesenstraße

Nordstraße

Bergstr.

Jägerplatz

Erfurt
Jena

Dom
Cathedral

Poststr.

Marientor

Poststraße

O Naumburg Ost

4 Hauptbahnhof – Salztor (30')

Altstadt
Old Town

Theaterplatz

Straßenbahn | *Tram*

4

Eisenbahnstrecken | *Railway routes*

Salztor

Wenzelsring

Vogelwiese

500 m

Naumburg (Saale)
(Sachsen-Anhalt)

🏴 33 000 (130 km²)

⟨el.⟩ 1907 ╟╢ 1000 mm

☃km 2.8 km ☼ 1

🏢 Naumburger Straßenbahn GmbH
www.naumburger-strassenbahn.◦

€ MDV (Mitteldt. Verkehrsverbund)
www.mdv.de

*Day
Pass* 3.20 € (nur | *only* Tram)

24 h 3.70 € (MDV: Naumburg)

Fahrzeuge | *Rolling Stock*

Nummer *Number*	Anzahl *Quantity*	Hersteller *Manufacturer*	Typ *Class*	Länge *Length*	Breite *Width*	Ausgeliefert *Delivered*
29	1	Gotha/LEW	ET54 (ex Halle) <=>	10.9 m	2.20 m	1955
36-38	3	Gotha/LEW	T57 (ex Jena) <=>	10.9 m	2.20 m	1959-1961
50-51	2	Raw Sw/LEW	TZ 70/1 (ex Jena) <=>	10.7 m	2.20 m	1971-1973

+ zwei Beiwagen sowie mehrere Museumsfahrzeuge | *two trailers and several heritage trams*

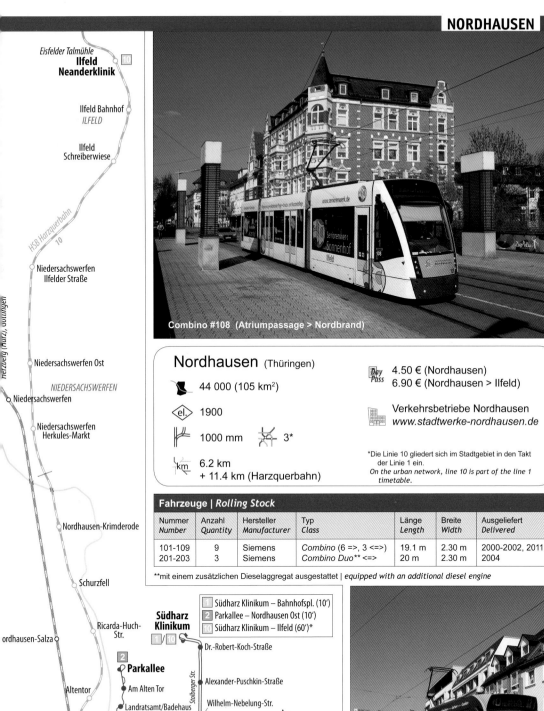

Combino #108 (Atriumpassage > Nordbrand)

Eisfelder Talmühle
Ilfeld
Neanderklinik 10

Ilfeld Bahnhof
ILFELD

Ilfeld
Schreiberwiese

HSB Harzquerbahn 10

Niedersachswerfen
Ilfelder Straße

Herzberg (Harz), Göttingen

Niedersachswerfen Ost

NIEDERSACHSWERFEN

Niedersachswerfen

Niedersachswerfen
Herkules-Markt

Nordhausen-Krimderode

Schurzfell

Ricarda-Huch-Str.

ordhausen-Salza

Nordhausen (Thüringen)

44 000 (105 km²)

el. 1900

1000 mm — 3*

km 6.2 km
+ 11.4 km (Harzquerbahn)

Day Pass 4.50 € (Nordhausen)
6.90 € (Nordhausen > Ilfeld)

Verkehrsbetriebe Nordhausen
www.stadtwerke-nordhausen.de

Die Linie 10 gliedert sich im Stadtgebiet in den Takt der Linie 1 ein.
On the urban network, line 10 is part of the line 1 timetable.

Fahrzeuge | Rolling Stock

Nummer / Number	Anzahl / Quantity	Hersteller / Manufacturer	Typ / Class	Länge / Length	Breite / Width	Ausgeliefert / Delivered
101-109	9	Siemens	*Combino* (6 =>, 3 <=>)	19.1 m	2.30 m	2000-2002, 2011
201-203	3	Siemens	*Combino Duo*** <=>	20 m	2.30 m	2004

**mit einem zusätzlichen Dieselaggregat ausgestattet | *equipped with an additional diesel engine*

Südharz Klinikum 1 / 10

1 Südharz Klinikum – Bahnhofspl. (10')
2 Parkallee – Nordhausen Ost (10')
10 Südharz Klinikum – Ilfeld (60')*

Dr.-Robert-Koch-Straße

2 **Parkallee**

Am Alten Tor

Altentor

Landratsamt/Badehaus
Wiedigsburghalle
Stolberger Str.
Theaterpl.

Grimmel

Hesseröder Straße

Auf dem Sand

Südharz-Galerie

Alexander-Puschkin-Straße

Wilhelm-Nebelung-Str.

Rückerstr.

Am Förstemannpark

August-Bebel-Platz

Rathaus/Kornmarkt

Leimbacher Str. 2 **Nordhausen Ost**

Nordbrand

Atrium-Passage

Bahnhofsplatz

Erfurt
Kassel

NORDHAUSEN

1 km

Sangerhausen
Halle (Saale)

━●━ Städt. Straßenbahn | *Urban Tram*
━○━ Harzquerbahn (HSB) (Regiotram | *Tram-Train*)
━○━ Eisenbahn | *Railways*

Combino Duo #201 (Kornmarkt/Rathaus)

GTV6 „Variobahn" #1205 (Hallertor)

DT3 #729 (U3 Klinikum Nord)

GT6N „CityBahn" #1005 (Am Wegfeld)

GT8N2 „CityBahn" #1110 (Plärrer)

Nürnberg (Bayern)

520 000 (186 km²)   ~ 1 000 000

el.   **T** 1896 **U** 1972   **T** & **U** 1435 mm

km   **T** 35.8 km **U** 34.6 km (+ 2 km im Bau | u/c))

T 5 **U** 3

VAG (Verkehrs-Aktiengesellschaft Nürnberg)
www.vag.de

VGN (Verkehrsverbund Großraum Nürnberg)
www.vgn.de

8.30 € (A = Nürnberg + Fürth + Stein)

DT2 #543 (U1 Langwasser Nord)

DT3F #779 (U2/U3 Opernhaus)

DT1 #449 (U1 Langwasser Süd)

Fahrzeuge | Rolling Stock

Nummer Number	Anzahl Quantity	Hersteller Manufacturer	Typ Class	Länge Length	Breite Width	Ausgeliefert Delivered
1001-1014	14	Adtranz/Siemens	GT6N „CityBahn" =>	27.4 m	2.30 m	1995-1996
1101-1126	26	Adtranz > Bombardier/Siemens	GT8N2 „CityBahn" =>	36.6 m	2.30 m	1999-2000
1201-1208	8	Stadler	GTV6 „Variobahn" =>	33.9 m	2.35 m	2007-2009
401/402...527/528	47 DT*	MAN/AEG/Siemens	DT1	37.2 m	2.90 m	1970-1984
529/530-551/552	12 DT*	Siemens/Adtranz	DT2	37.5 m	2.90 m	1993
701/702-763/764	32 DT*	Siemens	DT3**	38.4 m	2.90 m	2004-2007
765/766-791/792	14 DT*	Siemens	DT3F	38.4 m	2.90 m	2010-2011
409/410/411/412 etc.	27 (x4)	Siemens	G1	75.4 m	2.90 m	2019-

* Doppeltriebwagen | married pairs ** ohne Fahrerkabinen | without driver's cabs

NÜRNBERG

4 Am Wegfeld – Gibitzenhof (5–10′)
5 Tiergarten – Worzeldorfer Straße (10′)
6 Westfriedhof – Doku-Zentrum (10′)
7 Tristanstraße – Hauptbahnhof (20′)
8 Erlenstegen – Doku-Zentrum (10′)

Straßenbahn | *Tram*
U-Bahn
Eisenbahn | *Railways*

Gräfenberg

U2 Flughafen

4 Am Wegfeld

Bamberger Straße
Schleswiger Straße
Cuxhavener Straße
Thon
Bucher Str./
Nordring
U3 Nordwestring
Juvenellstr.
Kaulbachpl.
Maxfeld
Stadtpark
Ziegelstein
Herrnhütte
Nordostbahnhof   Nürnberg Nordost

8 Bayreu
Erlensteg N-
Platnersberg
Thumenberger Weg
Ostbahnhof
Tafelhalle   Nürnberg Ost
S1 Le
Hartmanns
Schoppershof
Tauroggenstr.
Rennweg   Sulzbacher Str.
Deichslerstr.
Stresemannplatz
Business
Tower
Marthastr.
Ostring
Äußere Sulzbacher Str.
Erlenstegenstr.

Mögeldorf
N-Mögeldorf
Balthasar-
Neumann-Str.
Siedlerstr.
Lechnerstr.
Schmausenbückstr.

5 Tiergarten

Westfriedhof
6
Julienstr.
Klinikum Nord
St. Johannisfriedhof
Hallerstr.
Friedrich-Ebert-
Platz
Tiergärtnertor
Pirckheimerstr.
U1 Fürth Hardhöhe
Eberhardshof
Maximilianstraße
Würzburg
Erfurt
Bärenschanze
Pegnitz
Hallertor
Wöhrder Wiese
Lorenzkirche
Obere Turnstr.
Gostenhof
Weißer Turm
7
Marientor
Marien-
tunnel
Hauptbf.
S1
Bamberg
N-Rothenburger Straße
Opernhaus
NÜRNBERG Hbf
S3
Plärrer
Kohlenhof
Celtispl.
S4
Sündersbühl
Steinbühl
Land-
graben-
str.
Hummel-
steiner Weg
St. Leonhard
U3 Gustav-Adolf-Straße
Heynestr.
Humboldt-
str.
Christuskirche
Aufseßplatz
N-Schweinau
Brehmstr.
Schuckertstr.
Maffeipl.
Wodanstr.
Schweinau
Siemensstr.
Sandreuth
Alemannenstr.
Lothringer Str.
S4 Ansbach
Stuttgart
Hohe Marter
Dianaplatz
Frankenstraße
4 Gibitzenhof
Btf Heinrich-Alfes-Str.
Trafowerk
U2 Röthenbach
Am Rangierbahnhof

Tullnaupark
Arminiusstr.
Dürrenhof
Scheurlstr.
Peters-
kirche
Historisches
Straßenbahndepot
St. Peter
Scharrerstr.
Gleißhammer
Harsdörfferpl.
Schweiggerstr.
Holzgarten-
str.
Meistersinger-
halle
Fliegerstr.
Luitpold-
hain
Dutzendteich
Dutzend-
teich
Immelmannstr.
Platz der Opfer
des Faschismus
7 Tristanstraße
8 6 Doku-Zentrum
N-Frankenstadion
127

Widhalmstr.

Hasenbuck

Bauernfeindstraße
Messe
Langwasser Nord

S2 Al
S3 Neum
Regensburg, Mün

Finkenbrunn
Südfriedhof
Saarbrücken Str.
Trierer Str.
5 Worzeldorfer Str.
N-Eibach

Scharfreiterring

Langwasser Mitte
U1 Langwasser Süd

S2 Roth
Augsburg, München

1 km

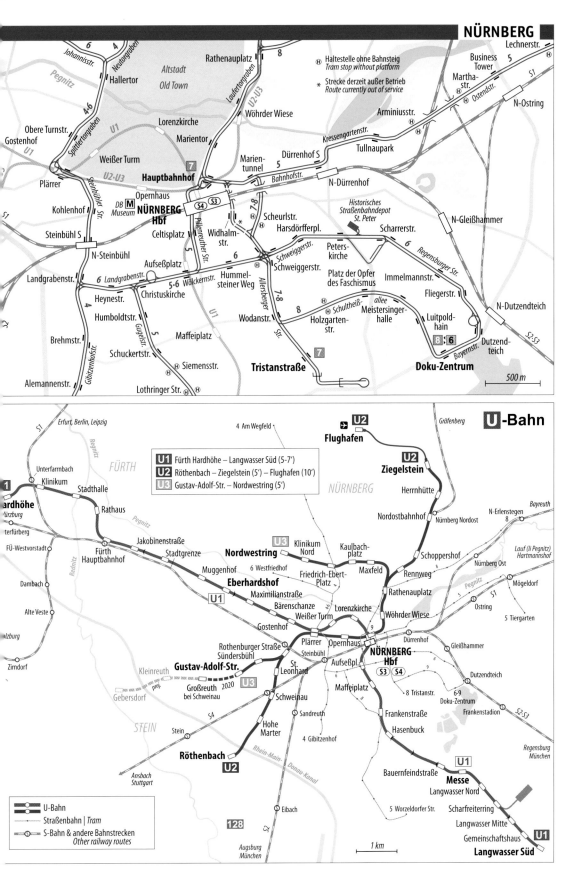

Tatra #242 (Neue Elsterbrücke > Tunnel)

Flexity #304 (Am Albertplatz)

Plauen (Sachsen)

▰	66 000 (102 km^2)
‹el.›	1894
⊩	1000 mm
km	16 km
⊁	5
🏢	PSB (Plauener Straßenbahn GmbH) *www.strassenbahn-plauen.de*
🧾€	VVV (Verkehrsverbund Vogtland) *www.vogtlandauskunft.de*
Day Pass	4.00 €

Fahrzeuge | *Rolling Stock*

Nummer *Number*	Anzahl *Quantity*	Hersteller *Manufacturer*	Typ *Class*	Länge *Length*	Breite *Width*	Ausgeliefert *Delivered*
203...243	15	ČKD Tatra	KT4D-MC =>	18.1 m	2.18 m	1981-1988
301-309	9	Bombardier	*Flexity Plauen* NGT6 =>	21.0 m	2.30 m	2013-2017

Flexity 306 & 303 & 305 (Tunnel)

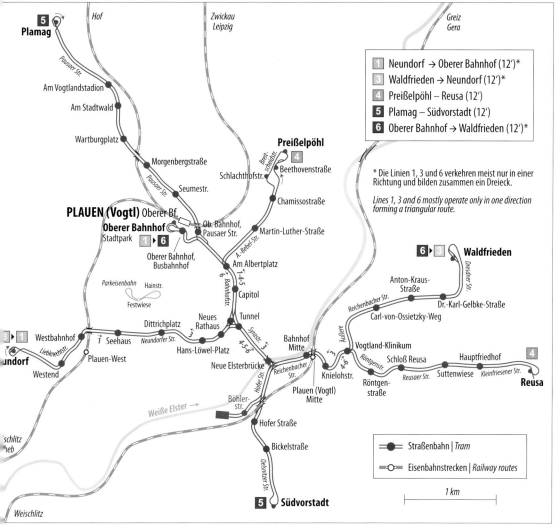

1 Neundorf → Oberer Bahnhof (12')*
3 Waldfrieden → Neundorf (12')*
4 Preißelpöhl – Reusa (12')
5 Plamag – Südvorstadt (12')
6 Oberer Bahnhof → Waldfrieden (12')*

* Die Linien 1, 3 und 6 verkehren meist nur in einer Richtung und bilden zusammen ein Dreieck.

Lines 1, 3 and 6 mostly operate only in one direction forming a triangular route.

Straßenbahn | Tram
Eisenbahnstrecken | Railway routes

1 km

129

Combino #413 (Lange Brücke > Alter Markt/Landtag)

Rathaus
Schiffbauergasse/Berliner Str.
92-96
Friedrich-Ebert-Str.
Berliner Str.
93
Gleisverschlingung | Interlaced tracks
Nauener Tor ⊕ Ⓗ
Schiffbauergasse/ Uferweg
Holzmarkt-str.
Brandenburger Str. Ⓗ
Berliner Str.
Nuthestr.
93-94-99
94-99
Luisenplatz-Süd/ Park Sanssouci
Dortustr.
99 **Platz der Einheit/ Nord**
91-94
Charlottenstr.
Zeppelinstr. (98)
Platz der Einheit/ West
Am Kanal
Burgstr./Klinikum
Fr.-Ebert-Str.
Platz der Einheit/ Bildungsforum
Alter Markt/Landtag
Brandenburg/Havel
Havel
Lange Brücke
S7 **POTSDAM Hbf**
S7 Berlin
Hbf/Heinrich-Mann-Allee
Hauptbahnhof
99
H.-Mann-Allee
91-92-93-96 (98/99)
500 m
Ⓗ Haltestelle ohne Bahnsteig
Tram stop without platform

Potsdam (Brandenburg)

176 000 (187 km²)

⇨ Berlin

 el. 1907

1435 mm

km 28.7 km

6 (+ 1)

ViP (Verkehrsbetrieb Potsdam Stadtwerke Potsdam
www.swp-potsdam.de

VBB (Verkehrsverbund Berlin-Brandenburg)
www.vbb.de

4.20 € (Zone Potsdam AB)
7.70 € (Zone Berlin ABC)

Fahrzeuge | *Rolling Stock*

Nummer *Number*	Anzahl *Quantity*	Hersteller *Manufacturer*	Typ *Class*	Länge *Length*	Breite *Width*	Ausgeliefert *Delivered*
148...161, 248...256	18	ČKD Tatra	KT4DC (ex Berlin) =>	18.1 m	2.20 m	1987
400 (Prototyp), 401-408	9	Siemens	*Combino* =>	30.5 m	2.30 m	1996, 1998-9
409-416	8	Siemens	*Combino* (2017/18 verlängert | *extended*) =>	40.5 m	2.30 m	2000-2001
421-438	18	Stadler	*Variobahn* =>	29.6 m	2.30 m	2011-2014

Variobahn #435 (Platz der Einheit > Dortustraße)

Tatra #152 (Bornstedt, Kirschallee)

91	Bhf Pirschheide – Bhf Rehbrücke (20′)
92	Bornstedt – Schlaatz (– Kirschsteigfeld) (10′)
93	Glienicker Brücke – Bhf Rehbrücke (20′)
94	Schloss Charlottenhof – Babelsberg (20′)
96	Campus Jungfernsee – Kirchsteigfeld (10′)
98	Schloss Charlottenhof – Bhf Rehbrücke (20′)
99	Babelsberg – Platz der Einheit (20′)

Krampnitz

96 Campus Jungfernsee

Rote Kaserne

Havel

Berlin

Vierckremise

Volkspark

Bornstedt
Kirschallee

92

Johan-Bouman-Platz

Hannes-Meyer-Str.

Campus Fachhochschule

Am Schragen

Puschkinallee

Glienicker Brücke

93

Ludwig-Richter-Str.

Reiterweg/Alleestr.

Rathaus

Mangerstr.

130

Nauener Tor *
Brandenburger Str.

Holzmarkt-str.

Schiffbauergasse/Berliner Str.

Schiffbauergasse/Uferweg

Luisenplatz-Süd/
Park Sanssouci

Dortustr.

99

Humboldtring/
Nuthestr.

S Babelsberg/
Wattstr.

94 99

Babelsberg
Fontanestr.

Griebnitzsee

Feuerbachstr.

Pl. der Einheit

Burgstr./Klinikum

Rathaus Babelsberg

Anhaltstr.

Schloss
Charlottenhof

94 98

Auf dem Kiewitt

Alter Markt/Landtag

POTSDAM
Hbf S7

Alt-Nowawes

R.-Breitscheid-Str.

Plantagenstr.

Park Sanssouci

Charlottenhof

Schillerplatz/
Schafgraben

Lange Brücke
Hbf/Heinrich-Mann-Al.

99

Babelsberg

Kastanienallee/
Zeppelinstr.

Friedhöfe

Medienstadt Babelsberg

Im Bogen/Zeppelinstr.

Sporthalle

Betriebshof ViP

Johannes-Kepler-Platz

Max-Born-Str.

Luftschiffhafen

Kunersdorfer Str.

Magnus-Zeller-Platz

92

Galileistr.

Turmstr.

Am Stern

Gauß-str.

91 94

Waldstr./Horstweg

Abzweig
Betriebshof
ViP

Hans-Albers-Str.

Bahnhof Pirschheide
P-Pirschheide

Eduard-Claudius-Str./
Heinrich-Mann-Allee

Schlaatz
Bisamkiez

Robert-Baberske-Str.

Zum Kahleberg

Priesterweg

Straßenbahn | Tram
S-Bahn Berlin
Eisenbahn | Railways
* Gleisverschlingung | Interlaced tracks

Friedrich-Wolf-Str.

Am Moosfenn

91 93 98

Am Hirtengraben

Kirchsteigfeld

92 96

Bahnhof Rehbrücke

P-Rehbrücke

Marie-Juchacz-Str.

Flughafen Berlin-Schönefeld

1 km

Jüterbog, Dessau

Magdeburg
Golm

Georg-Hermann-Allee

Berliner Str.

Berlin
Brandenburg

S7

Zeppelinstr.

Heinrich-Mann-Allee

Heinrich-Mann-Allee

Konrad-Wolf-Allee

Havel

Neßlitzer Str.

12

MGT6D #3269 (HD-Hauptbahnhof Süd > Gadamerplatz)

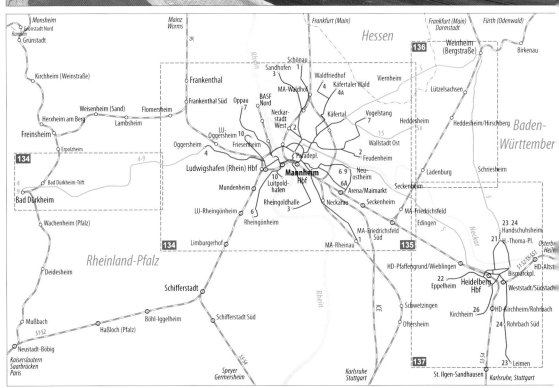

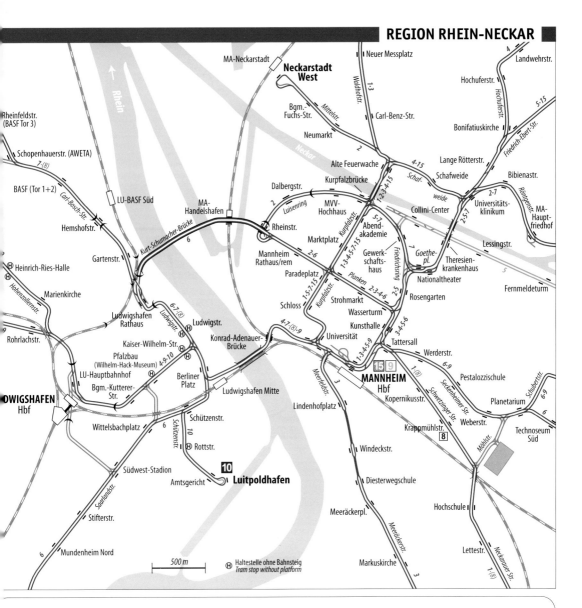

Region Rhein-Neckar (Rheinland-Pfalz/Baden-Württemberg) – Ludwigshafen am Rhein / Mannheim / Heidelberg

Ludwigshafen (LU): 169 000 (78 km²)
Mannheim (MA): 308 000 (145 km²)
Heidelberg (HD): 161 000 (109 km²)

~ 920 000 (790 km² - RNV-Gebiet | RNV area)

1900 (HD 1901)

1000 mm

Gesamt | Total - 207 km
  LU: 23.2 km*
  MA: 59.5 km* + 1.8 km**
  HD: 25.0 km*

15 (+ 1)

RNV (Rhein-Neckar-Verkehr GmbH)
www.mv-online.de

VRN (Verkehrsverbund Rhein-Neckar)
www.vrn.de

Day Pass
7.00 € (MA+LU) / (HD)
19.00 € (MA+LU+HD = VRN Region)

3 Day Pass
16.60 € (MA+LU) / (HD)
45.50 € (VRN Region)

* Stadtnetz ohne Überlandstrecken | Urban Network without interurban routes:
LU-Oggersheim – Bad Dürkheim (L4 - 16.2 km), MA-Käfertal – Weinheim – HD-Handschuhsheim (L5 - 26 km), MA-Käfertal – Heddesheim (L5A - 6.3 km) &
Heidelberg Hbf – MA-Collini-Center (L5 - 18.4 km)

** Neuostheim – SAP Arena: nur bei Veranstaltungen | only during special events

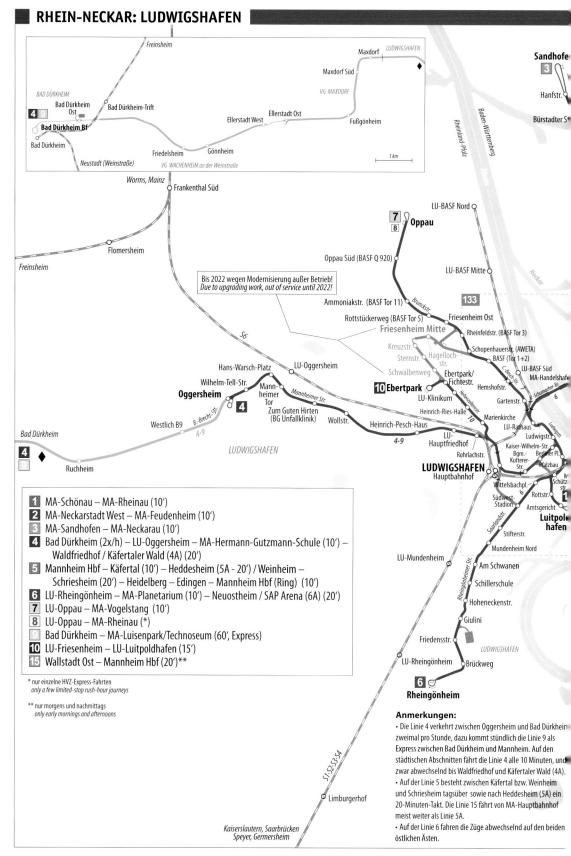

Sandhofe

Hanfstr.

Bürstädter S

Freinsheim

Maxdorf · *LUDWIGSHAFEN*

Maxdorf Süd

VG MAXDORF

BAD DÜRKHEIM

Bad Dürkheim Ost · Bad Dürkheim-Trift

Bad Dürkheim Bf

Bad Dürkheim

Ellerstadt West · Ellerstadt Ost

Fußgönheim

Neustadt (Weinstraße)

Friedelsheim · Gönheim

VG WACHENHEIM an der Weinstraße

1 km

Rheinland-Pfalz · *Baden-Württemberg* · *Rhein*

Worms, Mainz · Frankenthal Süd

LU-BASF Nord

7 **8** **Oppau**

Flomersheim

Freinsheim

Oppau Süd (BASF Q 920)

LU-BASF Mitte

Bis 2022 wegen Modernisierung außer Betrieb!
Due to upgrading work, out of service until 2022!

Ammoniakstr. (BASF Tor 11) · Brunckstr.

133

Rottstückerweg (BASF Tor 5) · Friesenheim Ost

Friesenheim Mitte

Rheinfeldstr. (BASF Tor 3)

S6

Kreuzstr. · Schopenhauerstr. (AWETA)

Sternstr. · Hagelloch-str. · BASF (Tor 1+2)

Schwalbenweg · Ebertpark/Fichtestr. · LU-BASF Süd

MA-Handelshafe

Hans-Warsch-Platz · LU-Oggersheim

Wilhelm-Tell-Str.

10 **Ebertpark**

LU-Klinikum · Hemshofstr.

Mannheimer Tor

Oggersheim

Mannheimer Str.

Gartenstr.

Zum Guten Hirten (BG Unfallklinik) · Wollstr.

Heinrich-Ries-Halle · Marienkirche

4

Westlich B9

B.-Brecht-Str.

4·9

Heinrich-Pesch-Haus · LU-Rathaus

Ludwigstr.

LUDWIGSHAFEN

4·9 · LU-Hauptfriedhof

Kaiser-Wilhelm-Str.

Berliner Pl.

Bad Dürkheim

Rohrlachstr.

Bgm.-Kutterer-Str.

Pfalzbau

4 **9**

Ruchheim

LUDWIGSHAFEN Hauptbahnhof

Wittelsbachpl.

Schütz-str.

Südwest-Stadion

Rottstr.

1

Amtsgericht

Luitpol hafen

Stifterstr.

LU-Mundenheim

Mundenheim Nord

Am Schwanen

Rheingönheimer Str.

Schillerschule

Hoheneckenstr.

Giulini

Friedensstr.

LUDWIGSHAFEN

LU-Rheingönheim · Brückweg

6

Rheingönheim

S1,S2,S3,S4

Limburgerhof

Kaiserslautern, Saarbrücken
Speyer, Germersheim

---

1 MA-Schönau – MA-Rheinau (10')

2 MA-Neckarstadt West – MA-Feudenheim (10')

3 MA-Sandhofen – MA-Neckarau (10')

4 Bad Dürkheim (2x/h) – LU-Oggersheim – MA-Hermann-Gutzmann-Schule (10') – Waldfriedhof / Käfertaler Wald (4A) (20')

5 Mannheim Hbf – Käfertal (10') – Heddesheim (5A - 20') / Weinheim – Schriesheim (20') – Heidelberg – Edingen – Mannheim Hbf (Ring) (10')

6 LU-Rheingönheim – MA-Planetarium (10') – Neuostheim / SAP Arena (6A) (20')

7 LU-Oppau – MA-Vogelstang (10')

8 LU-Oppau – MA-Rheinau (*)

9 Bad Dürkheim – MA-Luisenpark/Technoseum (60', Express)

10 LU-Friesenheim – LU-Luitpoldhafen (15')

15 Wallstadt Ost – Mannheim Hbf (20')**

* nur einzelne HVZ-Express-Fahrten
only a few limited-stop rush-hour journeys

** nur morgens und nachmittags
only early mornings and afternoons

Anmerkungen:

· Die Linie 4 verkehrt zwischen Oggersheim und Bad Dürkheim zweimal pro Stunde, dazu kommt stündlich die Linie 9 als Express zwischen Bad Dürkheim und Mannheim. Auf den städtischen Abschnitten fährt die Linie 4 alle 10 Minuten, und zwar abwechselnd bis Waldfriedhof und Käfertaler Wald (4A).

· Auf der Linie 5 besteht zwischen Käfertal bzw. Weinheim und Schriesheim tagsüber sowie nach Heddesheim (5A) ein 20-Minuten-Takt. Die Linie 15 fährt von MA-Hauptbahnhof meist weiter als Linie 5A.

· Auf der Linie 6 fahren die Züge abwechselnd auf den beiden östlichen Ästen.

Notes

Between Oggersheim and Bad Dürkheim, line 4 operates twice an hour, with line 9 operating hourly between Bad Dürkheim and Mannheim, stopping only at selected stations.

In urban routes, line 4 runs every 10 minutes, alternating between Waldfriedhof and Käfertaler Wald (4A).

Line 5 runs every 20 minutes between Käfertal or Weinheim and Schriesheim, as well as between Käfertal and Heddesheim (5A). From MA-Hauptbahnhof, line 15 mostly continues as line 5A.

On line 6, the two eastern branches are served alternately.

▬▬▬	Städtische Straßenbahn *Urban tramway*
▬▬▬	Überlandstraßenbahn (ESBO) *Interurban tramway (railway regulations)*
▭▭▭	Andere Eisenbahnstrecken *Other railway routes*

* Gleisverschlingung | Interlaced tracks

1 km

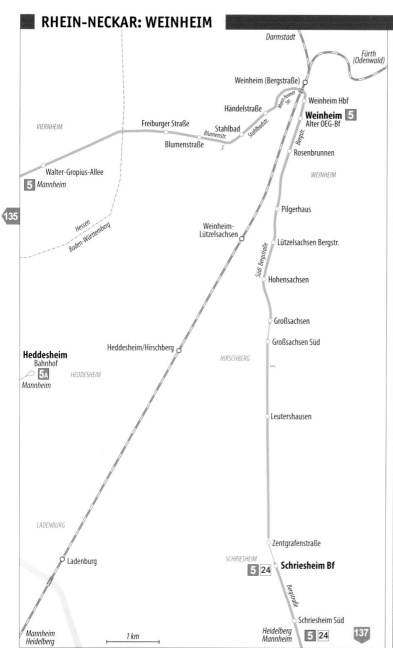

Darmstadt

Fürth (Odenwald)

Weinheim (Bergstraße)

Weinheim Hbf

Händelstraße

Weinheim 5
Alter OEG-Bf

Freiburger Straße

VIERNHEIM

Stahlbad

Blumenstraße

Rosenbrunnen

WEINHEIM

Walter-Gropius-Allee

5 *Mannheim*

Pilgerhaus

Hessen
Baden-Württemberg

Weinheim-Lützelsachsen

Lützelsachsen Bergstr.

Hohensachsen

Großsachsen

Großsachsen Süd

Heddesheim
Bahnhof

5A
Mannheim

HEDDESHEIM

Heddesheim/Hirschberg

HIRSCHBERG

Leutershausen

LADENBURG

Ladenburg

Zentgrafenstraße

SCHRIESHEIM
5 24

Schriesheim Bf

Mannheim
Heidelberg

1 km

Heidelberg
Mannheim

Schriesheim Süd

5 24

137

#2201 & #5703
(MA-Abendakademie > Alte Feuerwache

#3255 (HD-Hbf Süc

#4143 (HD-Hauptbahnhof West)

Fahrzeuge | Rolling Stock

Nummer Number	Anzahl Quantity	Hersteller Manufacturer	Typ Class	Länge Length	Breite Width	Ausgeliefert Delivered
4098... 4110	11	Duewag	GT8 (ex OEG) <=>	27.5 m	2.50 m	1966, 1973-74
3251-3258	8	Duewag	M8C-NF (ex HD) <=>	26.6 m	2.30 m	1985-86
4111, 4113-4116	5	Duewag	GT8K (ex OEG) <=>	27.5 m	2.50 m	1988-89
1031-1032, 1041-1043	5	Duewag	ET8N (ex RHB) =>	40.5 m	2.40 m	1994-95
2201-2214, 5601-5650	64	Duewag	6MGT (ex MA, LU) =>	29.2 m	2.40 m	1994-95
3261-3272	12	Duewag	MGT6D (ex HD) <=>	29.2 m	2.30 m	1994-95
4117-4122	6	Adtranz	V6 *Variobahn* (ex OEG) <=>	32.2 m	2.50 m	1996
2215-2222	8	Bombardier	RNV6 *Variobahn* (ex LU) =>	30.5 m	2.40 m	2003
3273-3288	16	Bombardier	RNV8 *Variobahn* (ex HD) <=>	39.4 m	2.40 m	2002-03, 2009
4123-4148, 4150-4162	39	Bombardier	RNV6 *Variobahn* (ex OEG) <=>	30.5 m	2.40 m	2003-2013
5701-5716	16	Bombardier	RNV8 *Variobahn* (ex MA) =>	42.8 m	2.40 m	2002-2010
5761-5763	3	Bombardier	RNV6 *Variobahn* (ex MA) <=>	30.5 m	2.40 m	2007
bestellt	ordered 06/2018	80	Škoda	*RNT2020*	30-58 m	2.40 m	(2021-)

Ältere Fahrzeuge, die nicht regelmäßig eingesetzt werden, sind nicht gelistet. | *Older vehicles which are not in regular use are not lis...*

135

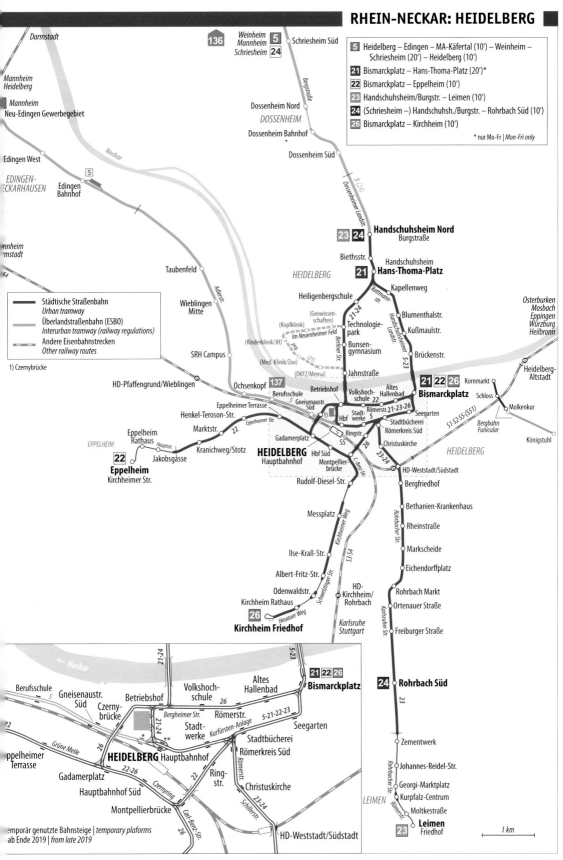

5 Heidelberg – Edingen – MA-Käfertal (10') – Weinheim – Schriesheim (20') – Heidelberg (10')

21 Bismarckplatz – Hans-Thoma-Platz (20')*

22 Bismarckplatz – Eppelheim (10')

23 Handschuhsheim/Burgstr. – Leimen (10')

24 (Schriesheim –) Handschuhsh./Burgstr. – Rohrbach Süd (10')

26 Bismarckplatz – Kirchheim (10')

* nur Mo-Fr | Mon-Fri only

Legend:

Städtische Straßenbahn
Urban tramway

Überlandstraßenbahn (ESBO)
Interurban tramway (railway regulations)

Andere Eisenbahnstrecken
Other railway routes

1) Czernybrücke

temporär genutzte Bahnsteige | temporary platforms
ab Ende 2019 | from late 2019

1 km

Variobahn RNV8 #5701 (MA-Alte Feuerwache)

Variobahn V6 #4120 (HD-Bismarckplatz)

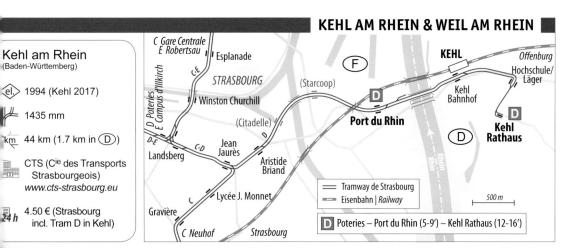

Kehl am Rhein
(Baden-Württemberg)

el. 1994 (Kehl 2017)

1435 mm

km 44 km (1.7 km in D)

CTS (Cie des Transports Strasbourgeois)
www.cts-strasbourg.eu

24 h 4.50 € (Strasbourg incl. Tram D in Kehl)

Tramway de Strasbourg
Eisenbahn | Railway

500 m

D Poteries – Port du Rhin (5-9') – Kehl Rathaus (12-16')

BVB Combino #302
(Weil am Rhein Bahnhof/Zentrum)

CTS Citadis #3022 (Kehl Bahnhof > Port du Rhin)

Weil am Rhein
(Baden-Württemberg)

el. 1895 (Weil am R. 2014)

1000 mm

km 85.5 km (1.6 km in D)

BVB (Basler Verkehrsbetriebe) - www.bvb.ch

RVL - www.rvl-online.de
TNW - www.tnw.ch
triregio (TNW + RVL)
www.triregio.info

24 h 9.10 € („triregio mini")

Tram Basel (BVB)
Eisenbahn | Railway

8 Neuweilerstr. – Kleinhüningen (7-8') – Weil am Rhein (15')

500 m
8 Neuweilerstrasse · 17 Ettingen Bf
6 Allschwil Dorf

Tramlink #607 (Kröpeliner Tor)

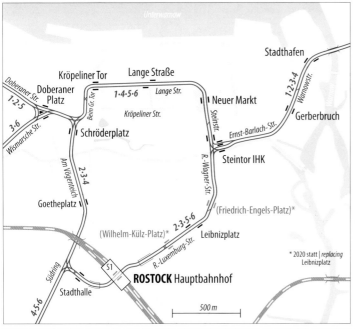

Rostock
(Mecklenburg-Vorpommern)

🏴 205 000 (181 km²)

⟨el.⟩ 1904

│├ 1435 mm

km 31.5 km

✕ 6

RSAG (Rostocker Straßenbahn AG
www.rsag-online.de

€ VVW (Verkehrsverbund Warnow)
www.verkehrsverbund-warnow.de

Day Pass 6.00 €

* 2020 statt | replacing
Leibnizplatz

Fahrzeuge | Rolling Stock

Nummer Number	Anzahl Quantity	Hersteller Manufacturer	Typ Class	Länge Length	Breite Width	Ausgeliefert Delivered
651-690	40	Duewag/DWA	6N1 (6NGTWDE) =>	30.2 m	2.30 m	1994-1996
601-613	13	Vossloh-Kiepe	6N2 *Tramlink* =>	32.0 m	2.65 m	2013-2014

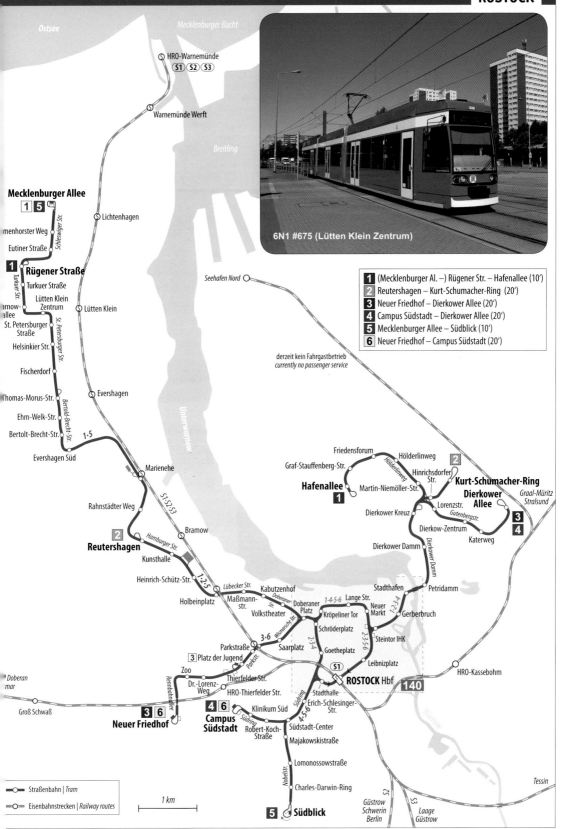

Ostsee

Mecklenburger Bucht

HRO-Warnemünde
(S1) (S2) (S3)

Warnemünde Werft

Breitling

6N1 #675 (Lütten Klein Zentrum)

Mecklenburger Allee
[1] [5]

menhorster Weg

Lichtenhagen

Eutiner Straße

[1] **Rügener Straße**

Turkuer Straße

Lütten Klein Zentrum

Lütten Klein

arnow-allee

St. Petersburger Straße

Helsinkier Str.

Fischerdorf

Thomas-Morus-Str.

Evershagen

Ehm-Welk-Str.

Bertolt-Brecht-Str.

1·5

Evershagen Süd

Marienehe

Seehafen Nord

derzeit kein Fahrgastbetrieb
currently no passenger service

Unterwarnow

[1] (Mecklenburger Al. –) Rügener Str. – Hafenallee (10')
[2] Reutershagen – Kurt-Schumacher-Ring (20')
[3] Neuer Friedhof – Dierkower Allee (20')
[4] Campus Südstadt – Dierkower Allee (20')
[5] Mecklenburger Allee – Südblick (10')
[6] Neuer Friedhof – Campus Südstadt (20')

Friedensforum

Hölderlinweg

Graf-Stauffenberg-Str.

Hinrichsdorfer Str.

[2]

Hafenallee
[1]

Martin-Niemöller-Str.

Kurt-Schumacher-Ring

Dierkower Allee

Lorenzstr.

Dierkower Kreuz

Gutenbergstr.

Graal-Müritz Stralsund

Dierkow-Zentrum

[3]
[4]

Rahnstädter Weg

S1·S2·S3

Bramow

Katerweg

Dierkower Damm

[2] **Reutershagen**

Hamburger Str.

Kunsthalle

Dierkower Damm

Heinrich-Schütz-Str.

1·2·5

Lübecker Str.

Kabutzenhof

Stadthafen

Petridamm

Holbeinplatz

Maßmann-str.

Doberaner Str.

Doberaner Platz

1·4·5·6

Lange Str.

1·2·3·4

Volkstheater

Neuer Markt

Gerbruch

Kröpeliner Tor

Wismarsche Str.

Schröderplatz

2·3·5·6

Steintor IHK

3·6

Parkstraße

Saarplatz

2·3·4

Goetheplatz

[3] Platz der Jugend

Parkstr.

Leibnizplatz

Zoo

Thierfelder Str.

(S1)

ROSTOCK Hbf

HRO-Kassebohm

Doberan mar

Dr.-Lorenz-Weg

Rembahnallee

HRO-Thierfelder Str.

Stadthalle

[140]

Groß Schwaß

[4] [6]

Klinikum Süd

Erich-Schlesinger-Str.

[3] [6]

Campus Südstadt

Südring

Neuer Friedhof

Robert-Koch-Straße

Südstadt-Center

Majakowskistraße

Humm

Lomonossowstraße

Tessin

——○—— Straßenbahn | Tram

——○—— Eisenbahnstrecken | Railway routes

1 km

Nobelstr.

Charles-Darwin-Ring

Südring

S2

S3

[5] ○ **Südblick**

Güstrow Schwerin Berlin

Laage Güstrow

Flexity Link #1021 (Johanneskirche)

Foto Wolfgang Wellige

Flexity Link #1024 (Eiweiler Nord > Landsweiler Süd)

Foto Wolfgang Wellige

Saarbrücken (Saarland)

181 000 (167 km²)

~ 350 000

1997

1435 mm

43.5 km – davon | *including*
  7.3 km Siedlerheim – Brebach
  (städtischer Abschnitt | *urban section*)

1

Saarbahn GmbH
www.saarbahn.de

SaarVV (Saarländische Verkehrsverbund)
www.saarvv.de

5.80 € (Zone 111 = Saarbrücken)
13.80 € (6 Zonen > Lebach)
11.80 € (5 Zonen > Sarreguemines)
20.20 € (10 Zonen Lebach – Sarreguemines)

Fahrzeuge | *Rolling Stock*

Nummer *Number*	Anzahl *Quantity*	Hersteller *Manufacturer*	Typ *Class*	Länge *Length*	Breite *Width*	Ausgeliefert *Delivered*
1001-1028	28	Bombardier	S1000 *Flexity Link* <=>	37.9 m	2.65 m	1996, 2000

SCHÖNEICHE-RÜDERSDORF

Artic #52 (S-Bahnhof Friedrichshagen)

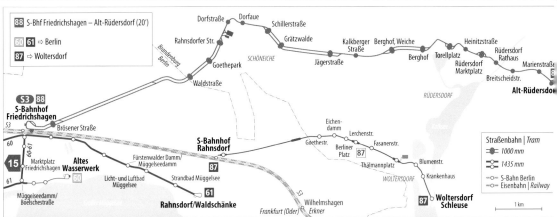

88 S-Bhf Friedrichshagen – Alt-Rüdersdorf (20')
60 61 ⇨ Berlin
87 ⇨ Woltersdorf

Straßenbahn | Tram
— *1000 mm*
— *1435 mm*
S-Bahn Berlin
Eisenbahn | Railway
1 km

Fahrzeuge | Rolling Stock

Nummer Number	Anzahl Quantity	Hersteller Manufacturer	Typ Class	Länge Length	Breite Width	Ausgeliefert Delivered
43, 46-48	4	Duewag	GT6 (ex Heidelberg) =>	20.1 m	2.20 m	1966, 1973
21, 22	2	ČKD Tatra	KT4DM (ex Cottbus) =>	26.8 m	2.18 m	1981
26-29	4	ČKD Tatra	KTNF6 (ex Cottbus) =>	26.8 m	2.18 m	1987, 1990
51-52 (+53 best. | ordered)	2/3	Transtech	Artic (ex Helsinki) =>	27.6 m	2.40 m	2013 (2018-19

KTNF6 #26 (Dorfstraße)

Schöneiche & Rüdersdorf (Brandenburg)

👤 28 000   ⇨ Berlin

⚡ 1910 |‖ 1000 mm   km 14.1 km

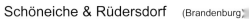 SRS (Schöneicher-Rüdersdorfer
Straßenbahn GmbH)
www.srs-tram.de

 VBB (Verkehrsverbund Berlin-Brandenburg)
€ *www.vbb.de*

Day Pass 7.40 € (Berlin BC)
7.70 € (Berlin ABC)

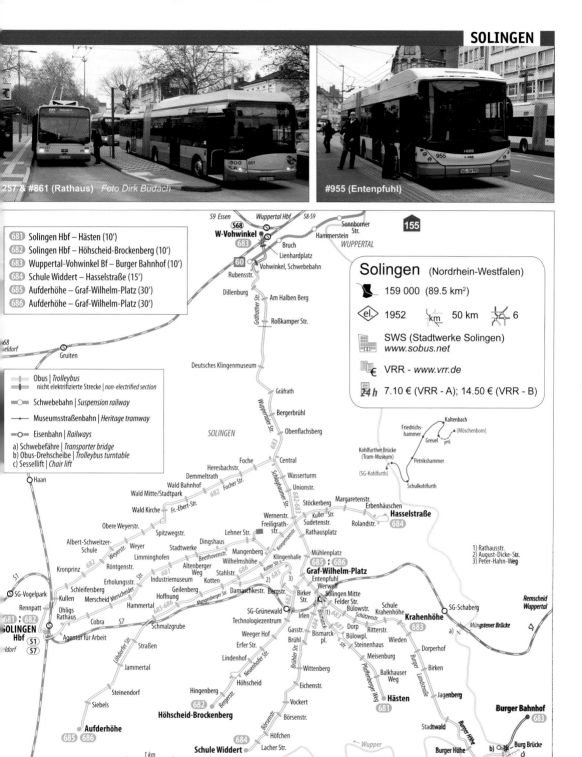

257 & #861 (Rathaus) *Foto Dirk Budach*

#955 (Entenpfuhl)

681 Solingen Hbf – Hästen (10')
682 Solingen Hbf – Höhscheid-Brockenberg (10')
683 Wuppertal-Vohwinkel Bf – Burger Bahnhof (10')
684 Schule Widdert – Hasselstraße (15')
685 Aufderhöhe – Graf-Wilhelm-Platz (30')
686 Aufderhöhe – Graf-Wilhelm-Platz (30')

Solingen (Nordrhein-Westfalen)

159 000 (89.5 km²)

el. 1952 km 50 km 6

SWS (Stadtwerke Solingen)
www.sobus.net

€ VRR - www.vrr.de

24h 7.10 € (VRR - A); 14.50 € (VRR - B)

Obus | Trolleybus
nicht elektrifizierte Strecke | non-electrified section
Schwebebahn | Suspension railway
Museumsstraßenbahn | Heritage tramway
Eisenbahn | Railways
a) Schwebefähre | Transporter bridge
b) Obus-Drehscheibe | Trolleybus turntable
c) Sessellift | Chair lift

hrzeuge | Rolling Stock						
mmer mber	Anzahl Quantity	Hersteller Manufacturer	Typ Class	Länge Length	Breite Width	Ausgeliefert Delivered
1-185	15	Berkhof	*Premiere* AT 18	18 m	2.50 m	2001
1-270	20	Van Hool/Kiepe	AG 300T	18 m	2.50 m	2002-2003
1-965	15	Hess/Kiepe	*Swisstrolley* BGT-N2C	18 m	2.50 m	2008-2009
1-864	4 *(+16)*	Solaris/Kiepe	*Trollino 18* BOB (Batterie-O-Bus)	18 m	2.50 m	2018 *(-2022)*

SN2001 #818 (Schlossblick > Marienplatz)

SN2001 #812 (Platz der Freiheit)

Schwerin
(Mecklenburg-Vorpommern)

 98 000 (130 km²)

 1904

 1435 mm

 21 km

 3 (+1)

 Nahverkehr Schwerin GmbH
www.nahverkehr-schwerin.d€

 5.50€

Fahrzeuge | Rolling Stock

Nummer Number	Anzahl Quantity	Hersteller Manufacturer	Typ Class	Länge Length	Breite Width	Ausgeliefert Delivered
801-830	30	Bombardier	SN2001 8NGTW *Flexity Classic* =>	29.7 m	2.65 m	2001-2003

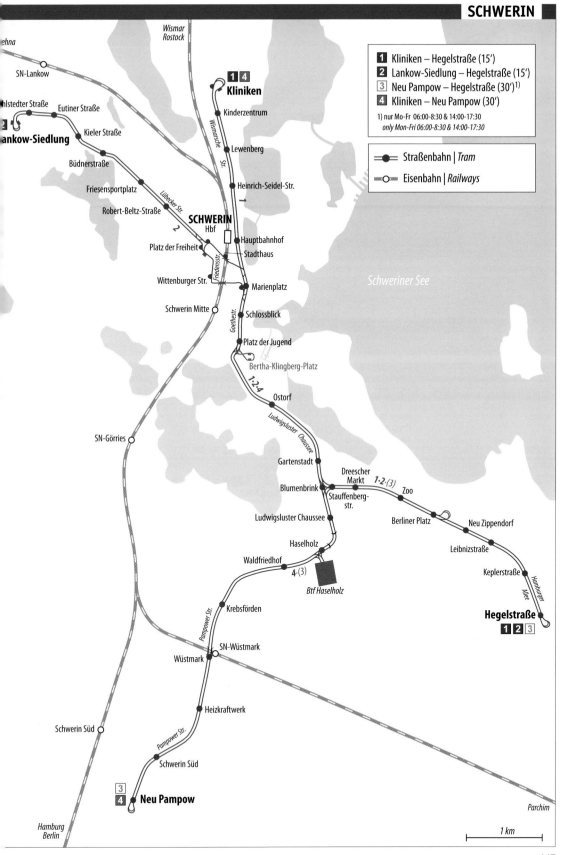

1 Kliniken – Hegelstraße (15')
2 Lankow-Siedlung – Hegelstraße (15')
3 Neu Pampow – Hegelstraße (30')[1]
4 Kliniken – Neu Pampow (30')

1) nur Mo–Fr 06:00-8:30 & 14:00-17:30
   only Mon–Fri 06:00-8:30 & 14:00-17:30

Straßenbahn | Tram
Eisenbahn | Railways

Wismar
Rostock

SN-Lankow

hlstedter Straße
Eutiner Straße
Kieler Straße
Lankow-Siedlung
Büdnerstraße
Friesensportplatz
Robert-Beltz-Straße

Kliniken
1 **4**
Kinderzentrum
Lewenberg

Wismarsche Str.

Heinrich-Seidel-Str.

Lübecker Str.
2

SCHWERIN
Hbf

Platz der Freiheit
Wittenburger Str.

Friedensstr.

Hauptbahnhof
Stadthaus
Marienplatz

Schwerin Mitte

Goethestr.

Schlossblick

Platz der Jugend

Bertha-Klingberg-Platz

Schweriner See

1·2·4
Ostorf

Ludwigsluster Chaussee

SN-Görries

Gartenstadt

Dreescher
Markt
1·2·(3)
Zoo

Blumenbrink
Stauffenberg-
str.
Ludwigsluster Chaussee

Berliner Platz
Neu Zippendorf

Leibnizstraße

Haselholz

Waldfriedhof
4·(3)

Btf Haselholz

Keplerstraße

Homburger
Allee

Hegelstraße
1 **2** **3**

Krebsförden

Pampower Str.

SN-Wüstmark
Wüstmark

Heizkraftwerk

Schwerin Süd

Pampower Str.

Schwerin Süd

3
4 Neu Pampow

Hamburg
Berlin

Parchim

1 km

Flexity #0042 (Lustgarten)

Fahrzeuge | *Rolling Stock*

Nummer *Number*	Anzahl *Quantity*	Hersteller *Manufacturer*	Typ *Class*	Länge *Length*	Breite *Width*	Ausgeliefert *Delivered*
05-06	2	RAW Schöneweide	TZ 69 <=>			1969
22	1	ČKD Tatra	KT8-D5 (ex Košice) <=>	30.3 m	2.48 m	1989
30	1	ČKD Tatra	T6C5 <=>	14.7 m	2.50 m	1998
0041-0042	2	Bombardier	*Flexity Berlin* F6Z <=>	30.8 m	2.40 m	2013

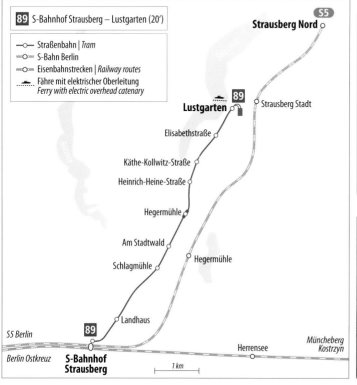

89 S-Bahnhof Strausberg – Lustgarten (20′)

—o— Straßenbahn | *Tram*
══o══ S-Bahn Berlin
══o══ Eisenbahnstrecken | *Railway routes*
········· Fähre mit elektrischer Oberleitung
Ferry with electric overhead catenary

S5 — Strausberg Nord

89 Lustgarten — Strausberg Stadt

Elisabethstraße
Käthe-Kollwitz-Straße
Heinrich-Heine-Straße
Hegermühle
Am Stadtwald — Hegermühle
Schlagmühle
Landhaus

S5 Berlin
Berlin Ostkreuz — **S-Bahnhof Strausberg**
Herrensee
Müncheberg Kostrzyn

1 km

Strausberg (Brandenburg)

▮ 26 500		⇨ Berlin
⟨el.⟩ 1921		1435 mm
km 6 km		1

Strausberger Eisenbahn GmbH
www.strausbergereisenbahn.de

VBB (Verkehrsverbund Berlin-Brandenburg)
www.vbb.de

Day Pass 7.40 € (Berlin BC)
7.70 € (Berlin ABC)

KT8 #22 (Landhaus)

DT8.14 Tango #3558 (Neckarbrücke: Elbestraße > Wagrainäcker)

DT8.S #4184 (Plieningen > Landhaus)

Stuttgart (Baden-Württemberg)

635 000 (207 km²)

~ 1 000 000

el. 1895   1435 mm

126 km* (+ Linie 10: 2.2 km) (+3 km i.B. | u/c)

14 (+2) + Linie 10

SSB (Stuttgarter Straßenbahnen AG)
www.ssb-ag.de

VVS (Verkehrs- und Tarifverbund Stuttgart)
www.vvs.de

5.20 € (Zone 1 = Stuttgart + Fellbach)
6.00 € (Zone 1+2 = + Gerlingen, Remseck,
Ostfildern, Leinfelden-E., Flughafen, etc.)

* einige Abschnitte mit 3-Schienen-Gleis für Museumsstraßenbahnbetrieb
Some sections have 3-rail tracks for heritage tram service.

Fahrzeuge | *Rolling Stock*

Nummer Number	Anzahl Quantity	Hersteller Manufacturer	Typ Class	Länge Length	Breite Width	Ausgeliefert Delivered
3007/3008-3233/3234*	114 DT	MAN/Duewag	DT8 (DT8.4-8.9 > DT8.S*)	38.8 m	2.65 m	1985-1996
3301/3302-3345/3346	23 DT	Siemens	DT8.10	38.6 m	2.65 m	1999-2000
3347/3348-3399/3400	27 DT	Bombardier	DT8.11	38.6 m	2.65 m	2004
3501/3502-3539/3540	20 DT	Stadler Pankow	DT8.12 *Tango*	39.1 m	2.65 m	2012-2014
3541/3542-3579/3580	20 DT	Stadler Pankow	DT8.14 *Tango*	39.1 m	2.65 m	2017
bestellt	*ordered* 2018	*20 DT*	Stadler Pankow	DT8.15 *Tango*	39.1 m	2.65 m	
1001-1003	3	AEG/MAN/SLM	ZT4 (Linie 10)	20.1 m	2.65 m	
bestellt	*ordered* 12/2018	*3*	Stadler Pankow	(Linie 10)		2.65 m	*(2021-2022)*

DT = Doppeltriebwagen | *married pairs*   * modernisierte Wagen (DT8.S) 4xxx statt 3xxx | *refurbished cars (DT8.S) now 4xxx instead of 3xxx*

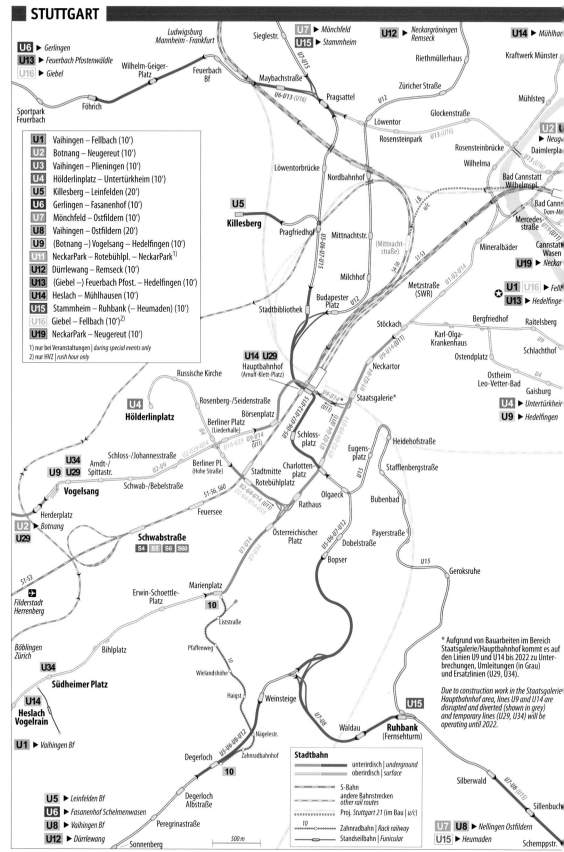

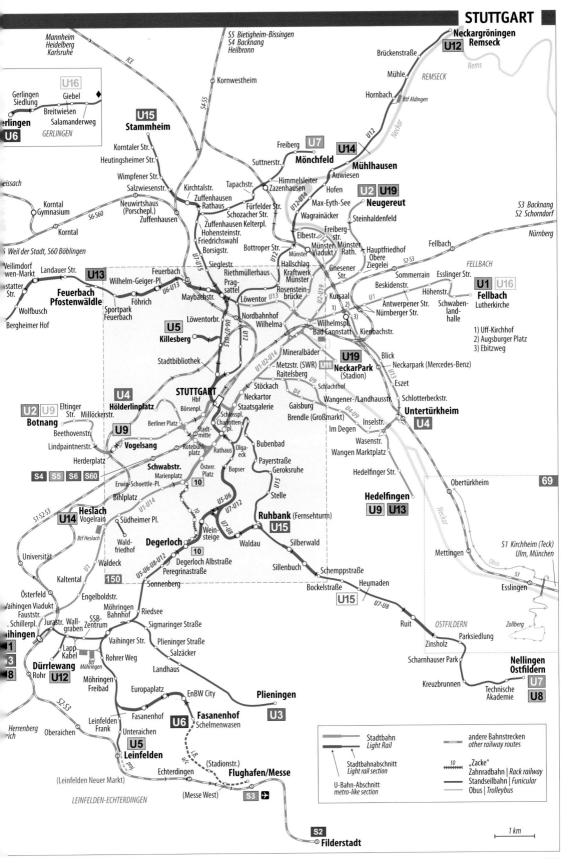

Mannheim
Heidelberg
Karlsruhe

S5 Bietigheim-Bissingen
S4 Backnang
Heilbronn

Neckargröningen U12 **Remseck**

Brückenstraße

Mühle

REMSECK

Hornbach

Btf Aldingen

ICE

Kornwestheim

Rems

U12

Neckar

Gerlingen
Siedlung

U16

Giebel

Breitwiesen

Salamanderweg

Gerlingen

U6

GERLINGEN

U15 **Stammheim**

Korntaler Str.

Heutingsheimer Str.

Wimpfener Str.

Salzwiesenstr.

Freiberg U7

Suttnerstr.

Mönchfeld

Himmelsleiter

Zazenhausen

U14

Auwiesen

Hofen

Mühlhausen

U2 U19

Neugereut

Max-Eyth-See

Wagrainäcker

Steinhaldenfeld

S3 Backnang
S2 Schorndorf

Nürnberg

weissach

Korntal
Gymnasium

S6·S60

Korntal

Weil der Stadt, S60 Böblingen

Neuwirtshaus
(Porschepl.)

Kirchtalstr.

Zuffenhausen
Rathaus

Tapachstr.

Fürfelder Str.

Zuffenhausen

Schozacher Str.

Zuffenhausen Kelterpl.

Hohensteinstr.

Friedrichswahl

Borsigstr.

Bottroper Str.

Elbestr.

Freiberg-
str.

Münster Münster
Viadukt Rath.

Fellbach

FELLBACH

Veilimdorf
wen-Markt

Landauer Str.

U13

Wilhelm-Geiger-Pl.

Feuerbach

Riethmüllerhaus

Prag-
sattel

Hallschlag

Kraftwerk
Münster

Rosenstein-
brücke

Gnesener
Str.

Sommerrain

Esslinger Str.

U1 U16

Fellbach
Lutherkirche

statter
Str.

**Feuerbach
Pfostenwäldle**

Föhrich

Maybachstr.

Kursaal

Beskidenstr.

Höhenstr.

Wolfbusch

Sportpark
Feuerbach

Löwentor

Antwerpener Str.

Nürnberger Str.

Schwaben-
land-
halle

Bergheimer Hof

Löwentorbr.

Nordbahnhof

U5 **Killesberg**

Wilhelma

Bad Cannstatt

Kienbachstr.

1) Uff-Kirchhof
2) Augsburger Platz
3) Ebitzweg

Stadtbibliothek

Wilhelmspl.

Mineralbäder

Blick

U19 **NeckarPark**
(Stadion)

Neckarpark (Mercedes-Benz)

Metzstr. (SWR)

Raitelsberg

U11

Eszet

STUTTGART
Hbf

Stöckach

Schlachthof

Wangener-/Landhausstr.

Schlotterbeckstr.

U2 U9

Eltinger
Str. Millöckerstr.

Hölderlinplatz

Börsenpl.

Neckartor

Staatsgalerie

Gaisburg

Brendle (Großmarkt)

Inselstr.

Untertürkheim

U4

Botnang

Beethovenstr.

Berliner Platz

Schlosspl.

Charlotten-
pl.

Im Degen

Wasenstr.

Lindpaintnerstr.

U9 **Vogelsang**

Stadt-
mitte

Rathaus

Olga-
eck

Bubenbad

Wangen Marktplatz

Herderplatz

Rotebühl-
platz

Payerstraße

Geroksruhe

Hedelfinger Str.

Obertürkheim

69

S4 S5 S6 S60

Schwabstr.

Österr.
Platz

Bopser

U14 **Heslach**
Vogelrain

Marienplatz

10

Stelle

Hedelfingen

U9 U13

Neckar

Erwin-Schoettle-Pl.

Bihlplatz

U1·U14

10

Ruhbank (Fernsehturm)

U15

Obus

S7·S2·S3

Btf Heslach

Südheimer Pl.

Wein-
steige

Waldau

Silberwald

Mettingen

S1 Kirchheim (Teck)
Ulm, München

Universität

Degerloch

Waldfriedhof

Sillenbuch

Schemppstraße

S1

Kaltental

Waldeck

Degerloch Albstraße

Peregrinastraße

Heumaden

Esslingen

150

U5·U6·U8·U12

Sonnenberg

U15

Bockelstraße

U7·U8

OSTFILDERN

Zollberg

Österfeld

Engelboldstr.

Ruit

Parksiedlung

aihingen
Vaihingen Viadukt
Faustst r.
Schillerpl.

Jurastr. Wall-
graben

Möhringen
Bahnhof

SSB-
Zentrum

Riedsee

Sigmaringer Straße

Zinsholz

Scharnhauser Park

**Nellingen
Ostfildern**

1

Lapp
Kabel

Vaihinger Str.

Plieninger Straße

Salzäcker

Kreuzbrunnen

U7

3

Btf
Möhringen

Rohrer Weg

Landhaus

Technische
Akademie

U8

8

Dürrlewang

Möhringen
Freibad

Europaplatz

EnBW City

Plieningen

Rohr

U12

Fasanenhof

U3

S2·S3

Leinfelden
Frank

Fasanenhof

U6

Schelmenwasen

Herrenberg
rich

Oberaichen

Unteraichen

U5 **Leinfelden**

Echterdingen

(Stadionstr.)

Flughafen/Messe

(Leinfelden Neuer Markt)

LEINFELDEN-ECHTERDINGEN

(Messe West)

S3 ✈

S2

Filderstadt

	Stadtbahn *Light Rail*		andere Bahnstrecken *other railway routes*
	Stadtbahnabschnitt *Light rail section*	10	„Zacke" Zahnradbahn | Rack railway
	U-Bahn-Abschnitt *metro-like section*		Standseilbahn | Funicular Obus | Trolleybus

1 km

Avenio #57 „Conrad Dietrich Magirus" (Universität Süd)

Combino #48 „Sophie Scholl" (Kliniken Wissenschaftsstadt)

Ulm (Baden-Württemberg)

126 000 (119 km²)

~ 180 000 (incl. Neu-Ulm)

1897   1000 mm

18.8 km   2

SWU (Stadtwerke Ulm/Neu-Ulm GmbH)
www.swu-verkehr.de

DING (Donau-Iller-Nahverkehrsverbund)
www.ding.eu

4.20 € (Ulm + Neu-Ulm)

Combino #41 „A. Berblinger" & Avenio #51 „Inge Aicher-Scholl" (Ehinger Tor)

1 Söflingen – Böfingen (10')
2 Science Park II – Kuhberg (10')

Straßenbahn | *Tram*
Eisenbahn | *Railways*

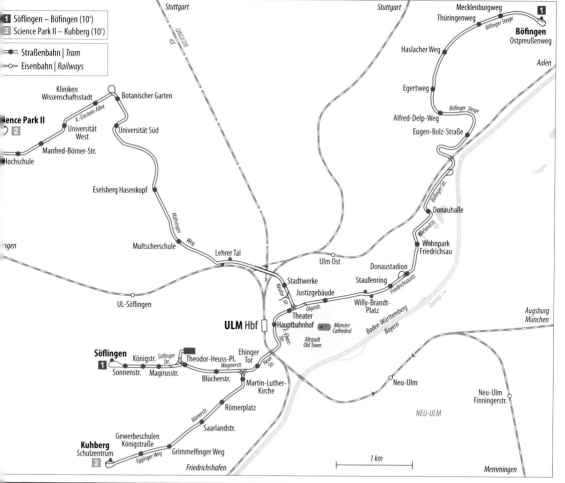

hrzeuge | *Rolling Stock*						
mmer / *mber*	**Anzahl** / *Quantity*	**Hersteller** / *Manufacturer*	**Typ** / *Class*	**Länge** / *Length*	**Breite** / *Width*	**Ausgeliefert** / *Delivered*
50	10	Siemens	*Combino* =>	30.8 m	2.40 m	2003, 2008
62	12	Siemens	*Avenio M* =>	31.5 m	2.40 m	2018

T57 #31 (Thälmannplatz

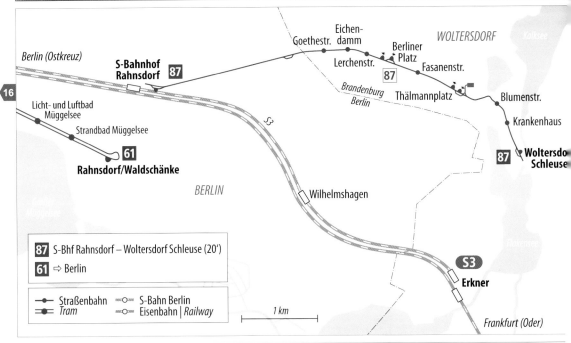

87 S-Bhf Rahnsdorf – Woltersdorf Schleuse (20')

61 ⇨ Berlin

—•— Straßenbahn | Tram
≡○≡ S-Bahn Berlin
≡○≡ Eisenbahn | Railway

1 km

Woltersdorf (Brandenburg)

 8 200

 ⇨ Berlin

el. 1913

1435 mm

km 5.6 km

Woltersdorfer Straßenbahn GmbH / SRS
www.woltersdorfer-strassenbahn.de

VBB (Verkehrsverbund Berlin-Brandenburg)
www.vbb.de

Day Pass 7.40 € (Berlin BC); 7.70 € (Berlin ABC)

Fahrzeuge | Rolling Stock

Nummer Number	Anzahl Quantity	Hersteller Manufacturer	Typ Class	Länge Length	Breite Width	Ausgeliefert Delivered
27-33	7	Gotha/LEW	T57 (ex Schwerin etc.) <=>	10.9 m	2.20 m	1957-1961
89-90	2	Gotha/LEW	B57 (Beiwagen | trailer) (ex Schwerin)	10.9 m	2.20 m	1960

G15 #08 (Oberbarmen)

Wuppertal (Nordrhein-Westfalen)

WSW (Stadtwerke Wuppertal GmbH)
www.wsw-online.de | www.schwebebahn.de

354 000 (168 km²) | Rhein-Ruhr

VRR (Verkehrsverbund Rhein-Ruhr)
www.vrr.de

el. 1901 | km 13.3 km

Day Pass 7.10 € ([A] = Wuppertal)

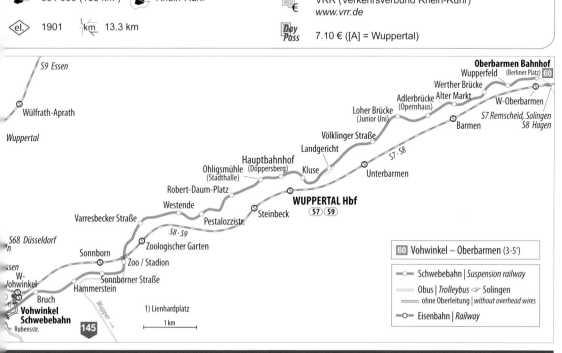

S9 Essen

Oberbarmen Bahnhof
Wupperfeld (Berliner Platz) 60
Werther Brücke
Adlerbrücke Alter Markt
(Opernhaus) W-Oberbarmen
Loher Brücke
(Junior Uni) S7 Remscheid, Solingen
S8 Hagen
Barmen

Wülfrath-Aprath

Wuppertal

Völklinger Straße
Landgericht
S7 · S8
Hauptbahnhof
Ohligsmühle (Döppersberg) Kluse Unterbarmen
(Stadthalle)
Robert-Daum-Platz
Westende WUPPERTAL Hbf
Varresbecker Straße Pestalozzistr. Steinbeck S7 S9
S8 · S9
Zoologischer Garten
S68 Düsseldorf
Sonnborn
Zoo / Stadion
ssen
W-
Sonnborner Straße
Vohwinkel
Hammerstein
Bruch 1) Lienhardplatz
Vohwinkel 1 km
Schwebebahn 145
Rubensstr.

Wupper

60 Vohwinkel – Oberbarmen (3-5')

Schwebebahn | Suspension railway

Obus | Trolleybus Solingen
ohne Oberleitung | without overhead wires

Eisenbahn | Railway

hrzeuge | Rolling Stock

mmer nber	Anzahl Quantity	Hersteller Manufacturer	Typ Class	Länge Length	Breite Width	Ausgeliefert Delivered
-31	31	Vossloh Kiepe	Generation 15 =>	24.1 m	2.20 m	2015-2019

GT-E #204 (Sanderring > Löwenbrücke)

GT-N #250 (Juliuspromende)

Fahrzeuge | Rolling Stock

Nummer Number	Anzahl Quantity	Hersteller Manufacturer	Typ Class	Länge Length	Breite Width	Ausgeliefert Delivered
236...246	6	Duewag	GTW-D8 =>	25.4 m	2.20 m	1968, 1975
201-214	14	LHB/Siemens	GT-E =>	32.6 m	2.40 m	1988-1989
250-269	20	LHB/Siemens	GT-N =>	28.8 m	2.40 m	1996

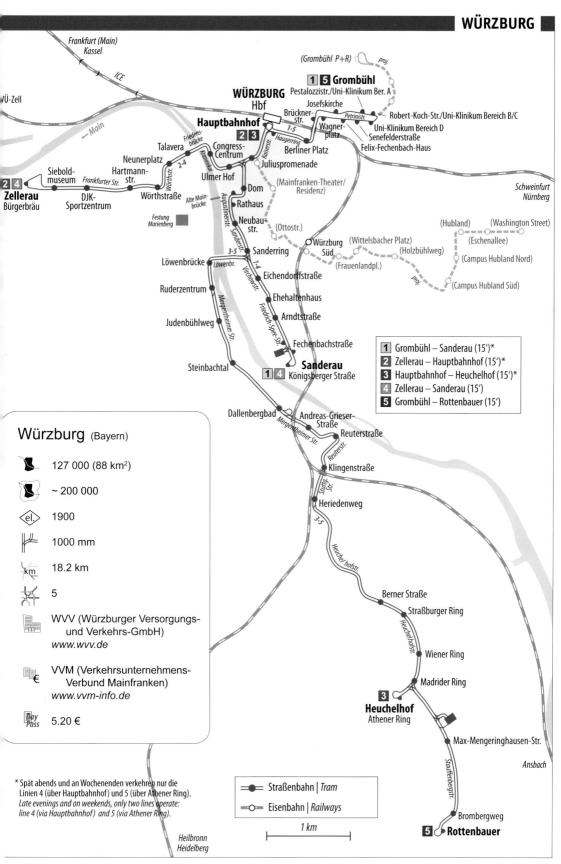

Frankfurt (Main)
Kassel

VÜ-Zell

ICE

← Main

WÜRZBURG
Hbf

(Grombühl P+R)   proj.

1 5 Grombühl
Pestalozzistr./Uni-Klinikum Ber. A
Josefskirche
Brückner-
str.   Petrinistr.   Robert-Koch-Str./Uni-Klinikum Bereich B/C
Uni-Klinikum Bereich D
Senefelderstraße
Felix-Fechenbach-Haus

Hauptbahnhof
2 3

Friedens-
brücke
Talavera
Neunerplatz
Hartmann-
str.
Frankfurter Str.
Siebold-
museum
2 4
Zellerau
Bürgerbräu
DJK-
Sportzentrum
Wörthstraße

Congress-
Centrum
Kaiserstr.
Haugerring
Berliner Platz
Wagner-
platz

1-5

Juliuspromenade
(Mainfranken-Theater/
Residenz)

2-4
Wörthstr.
Kranenkai

Ulmer Hof
Dom
Rathaus

Alte Main-
brücke
Augustinerstr.

Neubau-
str.
(Ottostr.)
Würzburg
Süd   (Wittelsbacher Platz)
(Holzbühlweg)

Festung
Marienberg

Sanderstr.

Sanderring
(Frauenlandpl.)

Schweinfurt
Nürnberg

(Hubland)   (Washington Street)
(Eschenallee)
(Campus Hubland Nord)

3-5
1-4
Virchowstr.

Löwenbrücke
Löwenbr.
Eichendorffstraße
Ruderzentrum
Ehehaltenhaus
Judenbühlweg
Mergentheimer Str.
Friedrich-Spee-Str.
Arndtstraße
Fechenbachstraße
Steinbachtal
1 4
Sanderau
Königsberger Straße

proj.
(Campus Hubland Süd)

1	Grombühl – Sanderau (15')*	
2	Zellerau – Hauptbahnhof (15')*	
3	Hauptbahnhof – Heuchelhof (15')*	
4	Zellerau – Sanderau (15')	
5	Grombühl – Rottenbauer (15')	

Dallenbergbad
Andreas-Grieser-
Straße
Mergentheimer Str.
Reuterstraße
Reuterstr.
Klingenstraße
Stuttg.
Str.
Heriedenweg
3-5
Heuchelhofstr.
Berner Straße
Straßburger Ring
Heuchelhofstr.
Wiener Ring
Madrider Ring
3
Heuchelhof
Athener Ring
Max-Mengeringhausen-Str.
Ansbach
Stauffenbergstr.
Brombergweg
5 ▸ Rottenbauer

Würzburg (Bayern)

- 127 000 (88 km²)
- ~ 200 000
- el. 1900
- 1000 mm
- km 18.2 km
- 5
- WVV (Würzburger Versorgungs-
  und Verkehrs-GmbH)
  www.wvv.de
- VVM (Verkehrsunternehmens-
  Verbund Mainfranken)
  www.vvm-info.de
- Day Pass 5.20 €

* Spät abends und an Wochenenden verkehren nur die
Linien 4 (über Hauptbahnhof) und 5 (über Athener Ring).
*Late evenings and on weekends, only two lines operate:
line 4 (via Hauptbahnhof) and 5 (via Athener Ring).*

●━● Straßenbahn | *Tram*
○━○ Eisenbahn | *Railways*

|— 1 km —|

Heilbronn
Heidelberg

GT6M #901 (Zentrum)

Tatra #948 (Neumarkt > Alter Steinweg)

Zwickau (Sachsen)

91 000 (102.6 km²)

el. 1894

1000 mm

km 19.2 km

4

 SVZ (Städtische Verkehrsbetriebe Zwickau)
www.nahverkehr-zwickau.de

 VMS (Verkehrsverbund
Mittelsachsen)
www.vms.de

 4.40 € (Zone 16 = Zwickau)

Fahrzeuge | Rolling Stock

Nummer Number	Anzahl Quantity	Hersteller Manufacturer	Typ Class	Länge Length	Breite Width	Ausgeliefert Delivered
928...949	19	ČKD Tatra	KT4D =>	18.1 m	2.18 m	1983-1990
901-912	12	Adtranz/Bombardier	GT6M =>	26.8 m	2.30 m	1993

Tatra #947 (Georgenplatz)

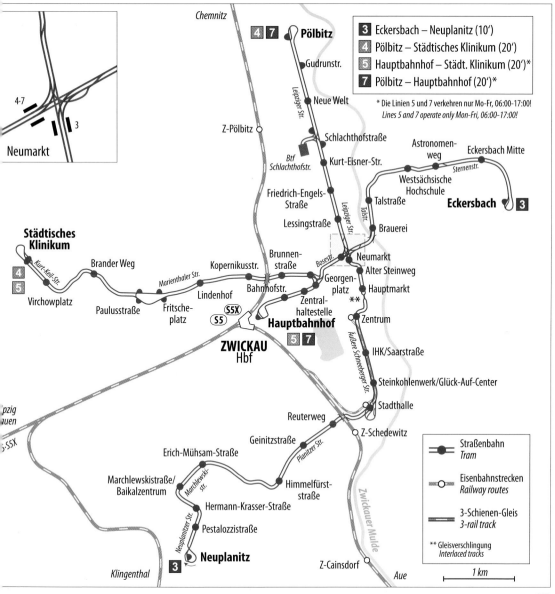

Neumarkt

4·7

3

3 Eckersbach – Neuplanitz (10')
4 Pölbitz – Städtisches Klinikum (20')
5 Hauptbahnhof – Städt. Klinikum (20')*
7 Pölbitz – Hauptbahnhof (20')*

* Die Linien 5 und 7 verkehren nur Mo-Fr, 06:00-17:00!
Lines 5 and 7 operate only Mon-Fri, 06:00-17:00!

Chemnitz

4 7 **Pölbitz**

Gudrunstr.

Neue Welt

Z-Pölbitz

Schlachthofstraße

*Btf
Schlachthofstr.*

Kurt-Eisner-Str.

Friedrich-Engels-
Straße

Lessingstraße

Astronomen-
weg

Eckersbach Mitte

Westsächsische
Hochschule

Talstraße

Brauerei

Eckersbach **3**

**Städtisches
Klinikum**

4
5

Kurt-Keil-Str.

Brander Weg

Kopernikusstr.

Marienthaler Str.

Brunnen-
straße

Bösestr.

Neumarkt

Alter Steinweg

Hauptmarkt

Virchowplatz

Paulusstraße

Fritsche-
platz

Lindenhof

Bahnhofstr.

Georgen-
platz

S5X
S5

Zentral-
haltestelle

**

Hauptbahnhof

Zentrum

5 7

ZWICKAU
Hbf

IHK/Saarstraße

Steinkohlenwerk/Glück-Auf-Center

Leipzig
auen

S-S5X

Stadthalle

Reuterweg

Z-Schedewitz

Geinitzstraße

Planitzer Str.

Erich-Mühsam-Straße

Marchlewski-
str.

Marchlewskistraße/
Baikalzentrum

Himmelfürst-
straße

Hermann-Krasser-Straße

Neuplanitzer Str.

Pestalozzistraße

Zwickauer Mulde

3 **Neuplanitz**

Klingenthal

Z-Cainsdorf

Aue

Straßenbahn
Tram

Eisenbahnstrecken
Railway routes

3-Schienen-Gleis
3-rail track

** Gleisverschlingung
Interlaced tracks

1 km

Robert Schwandl Verlag

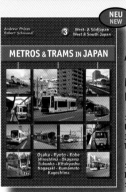

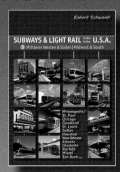
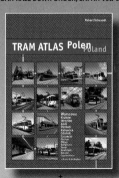

Robert Schwandl Verlag, Hektorstraße 3, 10711 Berlin
Tel. 030 - 3759 1284, Fax 030 - 3759 1285
books@robert-schwandl.de - www.robert-schwandl.de